Universale
778

Tullio De Mauro

Linguistica
elementare

Editori Laterza

© 1998, Gius. Laterza & Figli

Prima edizione 1998

Proprietà letteraria riservata
Gius. Laterza & Figli Spa,
Roma-Bari

Finito di stampare nel marzo 1998
Poligrafico Dehoniano -
Stabilimento di Bari
per conto della Gius. Laterza
& Figli Spa
CL 20-5486-8
ISBN 88-420-5486-0

Un capitolo di questo libro, il terzo, delinea le grandi vie attraverso cui il pensiero critico e scientifico sviluppatosi nell'Europa moderna ha accumulato una quantità di conoscenze intorno alle lingue e a quella facoltà di usarle che è il linguaggio. Per dominare questa massa di conoscenze, per ordinarla, per capirne il senso e per promuovere nuove conoscenze e migliori ipotesi di interpretazione dei dati è nato in Europa nel secolo scorso un campo scientifico autonomo che si è chiamato *linguistica*. Dai suoi primi passi, a Berlino, Parigi, in Gran Bretagna, questo campo non ha cessato di svilupparsi e il suo studio è diffuso ormai, si può dire, in tutti i paesi del mondo. All'espansione esterna, geografica, ha corrisposto un continuo crescere delle conoscenze, un complesso perfezionarsi dei metodi di indagine, un moltiplicarsi delle articolazioni e sottoarticolazioni specialistiche e delle prospettive teoriche d'insieme.

Oggi sono molti i motivi che portano non solo specialisti, ma più generalmente la nostra cultura a cercare di occuparsi di linguaggio e di lingue tenendo conto degli apporti della linguistica. Non è cresciuto soltanto a dismisura, di decennio in decennio, il numero di ricercatori che operano nel campo. È cresciuto e cresce il numero di quanti desiderano iniziarsi ad esso, alle sue conoscenze e alle sue tecniche. Non è una crescita soltanto quantitativa. Sono persone che operano in settori qualitativamente differenziati della cultura quelle che desiderano tentare di approdare alla linguistica. Un nudo elenco, anche sommario, anche lacunoso, è imponente: studiosi e teorici della letteratura, traduttori, teorici della traduzione, filologi delle più varie filologie, studiosi e insegnanti di lingue e anzitutto delle lingue nazionali, studiosi di scienze dell'educazione, studiosi di etnologia, antropologia culturale, demografia e sociologia, storia politica, sociale e culturale, filosofi attenti al linguaggio, giuristi, logici, psicologi e psicoterapeuti, logopedisti, medici, neurologi, biologi, informatici e il vasto e composito esercito di quanti operano nell'informazione, nella trasmissione della cultura, nella formazione e nei più diversi rami dell'insegnamento.

A tutti, oggi, la linguistica rischia di rispondere malamente offrendo opere che richiedono alcune settimane di studio intenso ed esclusivo per una prima iniziazione soltanto a un settore particolare, opere spesso già inevitabilmente connotate da orientamenti teorici parziali. Non ci si deve poi lamentare se molti gettano la spugna, rinunciano all'ardua impresa e si occupano di linguaggio e lingue e fatti di lingua come se la linguistica non esistesse.

Il danno non è solo per chi affronta temi linguistici in una chiave pretecnica. Il danno è per la linguistica. Col suo trasformarsi in una disciplina autoreferenziale essa si priva dell'apporto di nuove e più vivaci energie e del fecondo attrito con campi di studio diversi. Un geniale studioso di teoria della scienza, Richard von

Mises, non ha forse detto che nel procedere delle scienze le cose importanti nascono sul confine tra campi specialistici diversi? E del resto un padre della linguistica del Novecento, Ferdinand de Saussure, ha scritto: «Il linguaggio è una cosa troppo importante perché se ne occupino solo i linguisti».

È possibile correggere i difetti evidenti di questo stato di cose? È possibile mettere insieme un abbicì che offra l'essenziale della linguistica e costituisca un primo gradino accessibile a partire dal quale salire poi le molte altre rampe che la linguistica ha saputo costruire?

Le pagine che seguono (ringrazio Silvana Ferreri, Claudio Iacobini, Marco Mancini, Anna Thornton che le hanno lette in una prima stesura) sono scritte nella convinzione che a queste domande si possa e si debba rispondere affermativamente. Le dedico, nella loro pochezza e *in grige chiome*, alla memoria delle due persone che prime mi insegnarono, anche, l'abbicì di due scienze cui da specialista sono rimasto assai lontano, ma da cui ho tratto stimoli preziosi per il mio diverso lavoro: a mio padre, Oscar De Mauro (1892-1969), chimico, e a mia madre, Clementina Rispoli (1896-1971), insegnante di matematica.

Linguistica elementare

Capitolo primo
Materia della linguistica

La materia di studio della linguistica è il nostro parlare: *nostro*, cioè appartenente a noi esseri della specie umana. Anche *parlare* richiede un chiarimento: abbiamo adoperato qui questo verbo sostantivato nel suo senso più largo, cioè nel senso di «usare e sapere usare le parole e le frasi», e non nel senso più stretto di «dire qualcosa ad alta voce».

Nel parlare (in senso largo) utilizziamo le parole e le frasi in molti modi diversi. Le utilizziamo quando parliamo appunto in senso stretto, cioè quando pronunziamo con la voce parole e frasi per rivolgerci a qualcuno o per conversare; e le utilizziamo anche quando, invece di usare la voce, usiamo la penna o il computer e, quindi, scriviamo. Ma le parole che conosciamo le utilizziamo anche per capire quello che gli altri ci dicono o hanno scritto o stampato. Queste parole e frasi che io sto scrivendo o, a dir meglio, che elaboro ed utilizzo qui per scrivere, anche chi sta leggendo deve ritrovarle nella sua conoscenza di parole, deve estrarle da questo deposito mentale e deve utilizzarle per capire il senso delle cose che ho cercato di dire per scritto.

Dunque facciamo uso delle parole per produrre frasi dicendole o scrivendole e ne facciamo uso per ascoltare o leggere e capire le frasi prodotte da altri. Giustamente gli studiosi di una parte importante della linguistica, gli studiosi di **didattica delle lingue** o **glottodidattica**, la disciplina che si occupa di come si insegnano o si apprendono le lingue, sottolineano l'opportunità di stimolare e verificare in chi sta apprendendo una lingua quattro diverse **abilità verbali** o, in inglese, **verbal skills**: il parlare (ancora una volta in senso stretto, cioè usando le parole con la voce), lo scrivere, l'ascoltare (e capire) le parole dette da altri e il leggere (e capire) le parole scritte. Chiameremo d'ora in poi **uso produttivo delle parole e delle frasi** il dire o parlare in senso stretto e lo scrivere; e chiameremo **uso ricettivo delle parole e delle frasi** quello che facciamo ascoltando o leggendo.

Questi due usi non esauriscono però tutti gli usi delle parole. Ce ne è almeno un terzo importante: è quello che una persona fa quando pensa tra sé. Intendiamoci: non tutto ciò che possiamo chiamare *pensiero* passa attraverso le parole. C'è un **pensiero operativo** che è quello che si sviluppa mentre facciamo cose complesse, ma abituali e molto rapide. Per esempio, quando guidiamo un'automobile (se e quando siamo diventati esperti guidatori...) quasi mai le nostre azioni passano per il pensare parole e frasi circa quello che dobbiamo fare e decidere istante dopo istante: accelerare o frenare, sterzare o rallentare ecc. Guai se queste operazioni dovessero sempre passare attraverso il **pensiero verbale**, cioè attraverso la produzione interiore di parole e frasi come, per fare un esempio un po' scherzoso, ma verisimile: «Olà, c'è un gattino sulla strada, anzi proprio sul mio prevedibile percorso. Mi dispiacerebbe proprio ammazzarlo. Ora freno. Eh no, sono in curva e piuttosto veloce. Non mi conviene frenare. Oltretutto, non ho ancora guardato lo specchietto retrovisore: e se c'è qualcuno dietro? Beh, ora, per evitare di schiacciare l'innocente creatura evitando anche, però, di ammazzarmi, faccio un'altra cosa: calo di marcia e sterzo di quel tanto che basta per evitare il gattino. Posso farlo? Ma sì, anche se debordo un po' dalla mia carreggiata, la curva è abbastanza aperta e di fronte non c'è nessuno. E dallo specchietto vedo che non c'è nessuno nemmeno dietro. Allora, via, ora pigio la frizione, metto la mano sul cambio, calo di marcia, via la frizione, ecco, sterzo appena appena, rientro, evviva, il gattino e io siamo salvi». Contate i secondi che ci vogliono per dire anche mentalmente queste frasi, e vedrete che, per fortuna di automobilisti e gattini, ci sono meditate decisioni che non passano attraverso il pensiero verbale, ma attraverso quello che abbiamo chiamato pensiero operativo.

Evidentemente il pensiero operativo, in questo e in tanti altri casi più tranquilli, può scavalcare il momento della produzione interiore di parole e frasi che ci guidino nell'operare. Ma in molti altri casi, invece, questa produzione ci è utile e perfino indispensabile per scegliere il da farsi, anche in faccende quotidiane, per riflettere su cose viste o sentite, per ragionare su quel che progettiamo, per ideare un discorso che vorremmo fare a qualcuno. E, del resto, schegge di verbalità possono essere presenti anche nel pensiero operativo. Dunque, accanto agli usi produttivi e ricettivi delle parole c'è un **uso interiore**, che è stato chiamato anche **discorso interiore** o **endofasìa** (termine tecnico composto da due elementi di origine greca: *endo-* «dentro, interno» e *-fasia* «parlare»). L'uso endofasico fiancheggia, per dir co-

sì, ogni momento della nostra giornata. Lo fa specialmente quando ascoltiamo o leggiamo e interiormente
commentiamo e ruminiamo ciò che altri hanno detto o
scritto. Ma lo fa anche in assenza di stimoli linguistici
esterni, quando ripensiamo a qualcosa o progettiamo
azioni e compiti o pensiamo a discorsi da fare o magari
da non fare e schivare: «a megghia parola è chidda ca
'un si dici», suona un antico proverbio siciliano.

Forme importanti di endofasia sono quelle non
estemporanee, come le altre prima evocate, ma regola-
te da un testo preesistente che sta scritto dinanzi ai nostri occhi oppure che abbiamo impresso nella nostra
memoria. Tra queste forme ricordiamo la **lettura muta**,
che è usuale oggi per le persone di istruzione anche solo elementare e che in Occidente si è diffusa dall'epoca
romana tardo-imperiale; e la **recitazione muta di pre-
ghiere** che ha cominciato ad affermarsi tra i cristiani poco dopo la stessa epoca.

Accanto agli usi produttivi e ricettivi, che nell'insieme diremo **usi esofasici** o **esofasia** (da *eso-* «fuori, ester-
no» e *-fasia*), l'endofasia è, dunque, «l'altra metà del cielo» dell'universo di fenomeni su cui la linguistica porta
la sua attenzione. O, per dir meglio, vorrebbe e dovrebbe portare e non sempre ci riesce: per esempio, è
ancor oggi molto difficile documentare in modo ogget-
tivo e quindi analizzare il flusso del discorso interiore.
Quel che ne sappiamo è forzatamente fondato sulla re-
gistrazione di introspezioni intuitive che difficilmente
possono essere sottoposte a verifica. Finché non saranno assai più progrediti di oggi i metodi di indagine oggettiva (radioelettrica) dell'attività cerebrale che si svolge quando usiamo parole e frasi, la conoscenza dell'«altra metà del cielo» linguistico resterà affidata alle nostre
intuizioni. E proprio perciò ci appaiono e sono assai

istruttive le rappresentazioni letterarie del discorso interiore tentate nelle opere di alcuni dei più grandi scrittori, da Alessandro Manzoni e Giovanni Verga a Thomas Mann e James Joyce.

Comunque, possiamo ora dire: **materia di studio della linguistica è l'insieme degli usi endofasici e degli usi esofasici (produttivi e ricettivi, scritti e parlati) delle parole**.

Tutti questi usi sono documento e risultato della **attività verbale** degli esseri umani, cioè della loro capacità e abitudine di mettere in parole le loro esperienze. Possiamo quindi dire anche più brevemente: **materia di studio della linguistica è l'attività verbale degli esseri umani**.

Chiediamoci ora: ma ci riferiamo all'attività verbale di tutti, proprio di tutti gli esseri umani? E a tutta, proprio a tutta l'attività verbale in ognuna delle sue manifestazioni? Alle due domande la linguistica risponde oggi sì e no.

No, inevitabilmente, in via di fatto. Gli esseri umani oggi viventi sono circa sei miliardi e altri miliardi hanno vissuto nel passato. Si potrebbe dire: per fortuna del linguista (ma i linguisti non la considerano una «fortuna»), abbiamo solo una parte minima della produzione parlata, orale, del passato. Questa produzione orale si fa l'ipotesi che si sia snodata per almeno duecentomila anni, dalla probabile data di apparizione dell'*Homo sapiens sapiens*. Soltanto da qualche decennio essa ci è conservata in dischi e nastri nelle filmoteche, nelle discoteche e nastroteche, negli archivi delle emittenti radiotelevisive. Anche la produzione scritta del passato, che si snoda da circa cinquemila anni, è stata in larga parte spazzata via dall'ala del tempo. Quindi di gran parte dell'attività verbale del passato non abbiamo più documenti. E tuttavia le grandi biblioteche del mondo, la British Library a Londra o la Library of Congress a Washington o la Biblioteca Vaticana a Roma, conservano decine e decine di milioni di volumi a stampa e centinaia di migliaia di manoscritti anteriori o posteriori all'invenzione della stampa. E non meno immenso è il patrimonio di scritture monumentali ed epigrafiche risalenti, alcune, ai millenni prima di Cristo. Per quanto il tempo sia stato impietoso, per quanto trascurata sia la conservazione dei documenti passati (tale è purtroppo in Italia), la documentazione del parlato e scritto del passato, minima rispetto a ciò che in realtà fu, è pur sempre immensa rispetto alle nostre capacità di tenerne conto. Se poi volessimo tener conto della attuale attività verbale documentabile oggi, anche in un sol giorno, i documenti da registrare, conservare e studiare sarebbero centinaia e centinaia di miliardi.

Naturalmente non è possibile né per il linguista né per altri pretendere di registrare e studiare tutto ciò. Dunque, in via di fatto, non è né può essere vero che la linguistica studi tutta l'attività verbale di tutti gli esseri umani.

Come altri campi di studio, come altre scienze, anche la linguistica deve trovare il modo di limitare la propria materia di studio. Nessun botanico è andato in giro per il mondo a esaminare tutti gli individui del genere *Bràssica*. Nessun medico ha studiato tutti i casi di raffreddore. Nessun giurista ha studiato tutti i casi di divorzio o tutti i *negozi giuridici*. Nessun fisico studia termodinamica occupandosi di tutte le pentole che bollono e candele che bruciano o dell'energia impiegata e del calore sviluppato da qualunque lavoro. Nessuno storico che parli della rivoluzione del 1848 pretende di accertare tutto quello che avvenne quell'anno e nemmeno di esaminare tutti, proprio tutti i fatti di cui abbiamo ancora traccia. Ogni scienza a suo modo fronteggia e risolve la questione che anche la linguistica ha di fronte: limitare la propria materia di studio.

È possibile limitare la materia della linguistica? In prima approssimazione dobbiamo dire che questo, più che possibile, è in via di fatto necessario, per la linguistica come per ogni altra scienza.

Ma come si può limitare questa materia? In passato sono state battute varie vie, a volte in modo inconsapevole e non dichiarato. Per esempio, l'attenzione è stata rivolta soprattutto agli usi scritti delle parole e si è trascurato l'uso parlato. Ma anche col solo buonsenso si capisce che questa è una via sbagliata. Come già abbiamo accennato, mentre l'uso parlato delle parole risale probabilmente a centinaia di migliaia d'anni fa, l'uso scritto conta solo cinquemila anni. Già questo scarto di date ci aiuta a cominciare a capire che la scrittura, per quanto sia attività fondamentale, è un'attività secondaria rispetto agli usi parlati. Inoltre, da quando esiste, per migliaia di anni scrivere e leggere sono restate attività riservate a ceti ristretti anche in quelle poche popolazioni della Terra che possedevano un sistema di scrittura. Ancora solo cento anni fa la maggioranza dell'umanità non praticava scrittura e lettura. Oggi i non leggenti e non scriventi sono circa un miliardo. E in Italia ancora oggi più della metà della popolazione adulta dichiara di non leggere mai nulla.

Insomma, la scrittura viene dopo il parlare, è una possibilità aggiuntiva con caratteristiche speciali, che meritano ogni attenzione proprio nella loro specificità rispetto agli usi parlati. Questi costituiscono se non il tutto certo la massima parte della nostra attività verbale e quindi il linguista non può tagliarli via dalla sua materia di studio. Sarebbe quindi sbagliato se la linguistica considerasse solo documenti scritti degli usi delle parole. E, del resto, anche a volere studiare soltanto la totalità degli usi scritti documentati, questi, per quanto più rari dei parlati, sono pur sempre una massa sterminata, anch'essa difficile da dominare. Insomma, la distinzione tra usi scritti e usi parlati non ci aiuta a trovare una buona limitazione della materia della linguistica.

Una seconda via in parte coincidente con la precedente è cercare di limitare l'attenzione del linguista a soli documenti significativi. Ma significativi da che punto di vista? Una tacita risposta, cui si attenne un tempo la grammatica classica (greca, latina antica e latina medievale, rinascimentale ecc.), è: significativi dal punto di vista del valore letterario delle opere. Ammettiamo pure che le parole *letterario* e *letteratura* vadano qui intese in senso largo: non solo romanzi, drammi, poemi e poesie, ma anche testi filosofici o anche scientifici o orazioni e discorsi di grande qualità letteraria. Certo è che, limitando l'attenzione ai soli documenti letterari, la quantità di documenti da considerare si ridurrebbe enormemente. Ma sarebbe giusta una limitazione del genere?

Riflettiamo. Non c'è dubbio che i testi letterari significativi per il loro valore debbano avere un posto di rilievo, se e dove esistono, anche per la linguistica. Basti pensare, se non altro, all'influenza che hanno avuto o possono avere avuto sul modo di parlare delle generazioni successive. Proprio in Italia per molte generazioni chi, fuori della Toscana, parlava italiano imparava a farlo leggendo libri e opere letterarie: Dante, Petrarca, Boccaccio, i poemi cavallereschi. Tuttavia in molte parti del mondo e in molte epoche grandi opere letterarie non vi sono state e, anche dove vi sono state, sono state poco lette e apprezzate da grandi parti della popolazione. Se la linguistica deve studiare gli usi delle parole è giusto che chiuda gli occhi e le orecchie dinanzi all'attività verbale di chi non ha o non conosce una letteratura scritta, cioè dinanzi a quella parte che rischia d'essere la maggioranza del genere umano?

Ma qualcuno potrebbe anche rispondere: sì, è giusto così. È giusto sottrarre alle attenzioni della linguistica tutti quelli che non hanno familiarità con le belle lettere. È giusto che la linguistica si occupi solo di Omero, Platone, Virgilio, Cicerone, Dante, Galilei. Ma potrebbe farlo davvero la linguistica? Potrebbe cioè restringere la sua attenzione ai soli testi letterari? Capiamo le parole di Omero e la sua arte letteraria se ricostruiamo le tradizioni d'uso poetico di età più remote, se confrontiamo lo stile di Omero con gli altri usi noti del greco arcaico. Alla radice delle luminose pagine scritte da Platone c'è Socrate e il suo parlare terra terra nella piazza del mercato d'Atene. Apprezziamo la latinità letteraria aurea, da Lucrezio a Cicerone, Virgilio, Cesare, Orazio, solo apprezzandone l'enorme lavoro di selezione del vocabolario corrente e della sintassi e di stabilizzazione di un ideale stilistico a partire dalla latinità campagnola e urbana. Dante è inapprezzabile senza intendere il rapporto tra le parole della *Commedia* e quelle del toscano (e del latino) dei suoi tempi. Nella grande prosa scientifica Galileo stesso attesta i suoi debiti, i debiti del linguaggio della nuova fisica sperimentale, verso le umili parole dell'Arsenale di Venezia e il linguaggio di quelli che si chiamavano (lo ricordava con ironia Alessandro Manzoni) «vili meccanici», operai, appunto. Insomma, se anche la linguistica volesse riconoscere un ruolo privilegiato ai testi scritti di qualità letteraria elevata, per intenderli dovrebbe sempre vederli in un rapporto di tensione con i modi di parlare comuni, terra terra di ciascuna epoca. Se vuole studiare bene le parole e le frasi dei grandi testi letterari, la linguistica deve studiare anche parole e frasi della gente comune, degli illetterati e vili meccanici.

Così siamo riportati all'inizio di queste domande. Dobbiamo constatare che aveva ragione un grande linguista italiano, Giacomo Devoto (che, si noti, fu grande studioso tra l'altro proprio di stilistica letteraria latina e italiana), quando affermava che per il linguista sono egualmente importanti sia il più umile graffito o la più banale esclamazione sia un vasto, splendido poema. Aveva ragione un grande linguista russo, Roman Jakobson, quando, modificando il verso di un antico commediografo latino, Terenzio (*Homo sum: humani nihil a me alienum puto*), affermava: *Linguista sum: linguistici nihil a me alienum puto*, «Sono un linguista: niente di linguistico mi è estraneo».

E siamo di nuovo al punto. Come fare per limitare la materia di studio della linguistica? Non sembra possibile limitarla con l'accetta escludendo il parlato o gli usi non letterari della lingua. Il linguista deve trovare altrove, in altro modo, la via per non costringersi a perdersi nella analisi di ogni singolo esemplare della sterminata massa degli usi linguistici di tutti gli esseri umani, fermo restando che nessuno di questi usi può, in linea di principio, essere ritenuto indegno della sua attenzione scientifica.

Capitolo secondo

Obiettivo della linguistica:
le lingue

Nel loro intrinseco gli usi linguistici dei singoli individui ci si presentano come differenti, ciascuno da ogni altro, e perfino ciascuno da ogni altro della medesima persona. Se guardiamo a noi stessi e al nostro ambiente a tutta prima ci può anche risultare difficile ammetterlo. Specialmente certe formule, come *Buon giorno* o *Come va?*, ci pare di ripeterle e di sentirle dire tante volte. E tante volte ci pare di incontrare lo stesso testo: *Nel mezzo del cammin di nostra vita*, *Va' pensiero sull'ali dorate*, *L'Italia è una Repubblica...* Ma guardiamo bene, a fondo, queste espressioni e magari arricchiamo il nostro guardare intuitivo con gli strumenti forniti dall'analisi dei suoni e dall'analisi psicologica. Per quanto a tutta prima ci possano apparire impalpabili, piccole differenze si accompagnano sempre a ogni nostro comportamento linguistico. Per quanto possiamo sforzarci di essere ripetitivi, cambiano tempi e luoghi della produzione e della ricezione, cambiano toni e volumi della nostra voce e delle altrui, cambiano le grafie, si impolverano e sbiadiscono le stampe, cambia la luminosità e la risonanza dell'ambiente ricettivo, cambiamo noi e cambiano a ogni istante gli altri e le cose, le esperienze accumulate e quindi le intenzioni che accompagnano il nostro dire e la comprensione di ciò che ascoltiamo o leggiamo.

Insomma, anche parlando siamo immersi nella infinita e continua variabilità del tempo e del cosmo. L'antico Cratilo, il filosofo seguace di Eraclito di cui ci parlano Platone e Aristotele, diceva che è impossibile bagnarsi due volte nello stesso fiume: cambia l'acqua, cambiano poco o molto il letto e il corso, cambiamo noi. Allo stesso modo il linguista non può non osservare che perfino quelle formule stereotipate citate prima, perfino quei testi a tutti noti, non possono essere ripetuti e ricevuti due volte esattamente allo stesso modo. Ma quelle formule e quei testi che ci pare di poter dire ripetuti e che in realtà ripetuti esattamente non sono e non possono essere mai, per quanto frequenti sono ben poca cosa dinanzi alla massa enorme di parole e frasi profondamente differenti che ogni giorno ci capita di incontrare o dire o scrivere. Se avessimo modo e voglia di esaminare tutti i libri della Biblioteca Nazionale di Roma troveremmo certamente parecchie frasi di cui si può dire in qualche modo che son «le stesse», che sono ripetute più volte: ma nell'insieme sarebbero una percentuale infima rispetto ai miliardi di frasi che appaiono una volta sola e in nessun senso possono dirsi ripetute, in nessun senso sono «le stesse».

Dunque, gli usi linguistici individuali ci appaiono, se facciamo bene attenzione, come il regno della perpetua diversità. E se dal nostro ambiente, dalle nostre letture consuete allarghiamo l'attenzione ad altri ambienti, sempre più distanti, le diversità crescono, si moltiplicano. A mano a mano che l'orizzonte dell'osservazione si allarga udiamo suoni e leggiamo scritte che ci appaiono diverse da quelle cui siamo abituati, fino a trovarci di fronte a parole, frasi, discorsi, scritture che qualifichiamo così sulla fiducia, ma di cui stentiamo a imitare il suono o la grafia e di cui non intendiamo il senso. Se potessimo collezionare le registrazioni e le copie di tutti gli usi linguistici individuali parlati e scritti realizzati in questo minuto da tutti gli esseri umani, ci troveremmo dinanzi a un mare indefinito e immenso di differenze.

E, tuttavia, osserviamo ancora: queste differenze non fanno da ostacolo o, per dir meglio, non fanno del tutto da ostacolo alla comprensione di ciò che gli esseri umani si dicono e si scrivono. Ognuno intende almeno una piccola parte di ciò che viene detto e scritto ed ognuno, se parla o scrive, è inteso da una parte almeno degli esseri umani. E ognuno può constatare, viaggiando o guardando la tv satellitare o procurandosi giornali d'altri paesi, che questo avviene per ogni essere umano: ognuno è capace, in un certo ambiente e raggio, di scavalcare le differenze degli usi linguistici individuali e, in quel raggio, di intendere e farsi intendere parlando o scrivendo. Ci appare così chiaro che non tutte le differenze degli usi linguistici individuali sono per noi egualmente diverse: alcune, anzi molte, sono più diverse di altre. Molte impediscono di intendere e farci intendere da altri, ma alcune altre, invece, non hanno questo effetto negativo.

Nel gran mare delle differenze degli usi linguistici individuali cominciamo così a scorgere che ci sono dei limiti, dei confini: dentro ciascuna linea stanno esseri umani che tra loro sono capaci di scavalcare spesso, se non sempre, le differenze che pur sempre contrassegnano i loro comportamenti linguistici e di intendere e farsi intendere parlando e scrivendo. Questi individui capaci per lo più (anche se non sempre) di intendere e farsi intendere gli uni gli altri costituiscono una **comunità linguistica**. Una comunità linguistica include dunque alcuni ed esclude molti altri esseri umani, che a loro volta, però, si raccolgono in altre comunità linguistiche.

La possibilità di un frequente intendere e intendersi la diremo d'ora in poi **mutua comprensione** o **intercomprensione**. L'intercomprensione è il collante che tiene insieme ciascuna comunità. Avvertiamo subito che **la comunità linguistica non necessariamente coincide con una entità politica definita**. Nel passato in vasti imperi, da quelli antichissimi del Vicino Oriente Antico all'Impero austroungarico, o in grandi stati, come la Confederazione di Stati Indipendenti (ex Urss) o l'India, ma anche in stati di più modeste dimensioni come l'Italia, la Spagna, la Francia o la Svizzera, troviamo più comunità linguistiche diverse: in Italia (vedi tav. 6), oltre l'italiano e i dialetti italoromanzi, e non considerando le comunità linguistiche di recente immigrazione (arabofoni, somali ecc.), vi sono ben tredici comunità di lingua diversa dall'italiano e dai dialetti italiani, alcune delle quali (francofoni della Val d'Aosta, tedescofoni dell'Alto Adige-Sud Tirolo, ladini, sloveni) riconosciute da trattati internazionali; in Spagna, oltre il castigliano o spagnolo, convivono le comunità basca, catalana, gallega; in Francia, accanto alla dominante comunità francese, convivono quelle brettone, corsa, occitanica, tedesca. La Svizzera, infine, è una confederazione costitutivamente quadrilingue (francese, tedesco, italiano, ladino o romancio). E, d'altra parte, come si vede anche dagli esempi appena fatti, vi sono comunità linguistiche che superano i confini degli stati: si pensi all'inglese, lingua nativa in sei diversi stati del mondo, o al tedesco, lingua della Germania, dell'Austria, della Svizzera, o al francese, nativo in

Francia, Belgio, Svizzera, Val d'Aosta, o allo stesso italiano, presente in Italia e in Svizzera e attraverso compatte comunità di emigrati nelle *little Italies* di molti paesi del mondo.

L'intercomprensione si realizza, come abbiamo detto, perché alcune differenze individuali non la impediscono del tutto e sempre. Di là di differenze individuali, le persone di una stessa comunità linguistica usano in ciò che dicono o scrivono e riconoscono, leggono e odono nei discorsi e testi altrui molte parole comuni e molti modi comuni di connettere le parole in frasi. Questo repertorio di parole e costrutti comuni è lo strumento che permette all'intercomprensione di realizzarsi. In prima approssimazione possiamo dire che una lingua è questo: **una lingua è un repertorio di parole e costrutti proprio di una particolare comunità linguistica**. Ai suoi componenti, che chiamiamo **parlanti** o **locutori**, essa consente in larga misura l'intercomprensione.

Il latino o l'inglese, l'italiano o il cinese mandarino, l'arabo classico o il siciliano, il turco o il bavarese, lo suahili o il cabardino o il veneziano sono altrettanti esempi di lingue. Alcune lingue sono di grande risonanza, per tradizioni storiche o per numero di parlanti, altre hanno minor nome e prestigio e sono note quasi solo a chi le parla e agli specialisti (vedi tav. 2). Già tra quelle poche ora menzionate alcune coesistono in una stessa comunità con lingue di maggior prestigio: così, ad esempio, il bavarese coesiste col tedesco, il siciliano e il veneziano coesistono con l'italiano. Queste lingue non egemoni prendono il nome di **dialetti**, ma rispondono anch'esse alle caratteristiche essenziali di qualunque altra lingua, sono cioè repertori di parole che garantiscono l'intercomprensione tra i locutori di una comunità. Naturalmente alcune parole e alcuni altri elementi linguistici simili possono trovarsi anche in e tra lingue diverse e si dicono **isoglosse** (dal greco *iso-* «eguale» e -*glossa* «lingua, parola»).

Quando dal mare delle differenze degli usi linguistici individuali vediamo emergere la lingua, scorgiamo insieme un principio di limitazione e d'ordine intrinseco alla materia stessa della linguistica. Rispetto alla massa infinita e indefinita degli usi individuali le lingue sono infatti di numero assai più ristretto. Si stima che oggi nel mondo le lingue in uso siano circa seimila, di cui soltanto poco più di un terzo non solo parlate, ma anche scritte dalle rispettive comunità[1].

Primo obiettivo della linguistica è ripercorrere, in modo analitico e documentato, il percorso intuitivo che abbiamo qui compiuto: ricondurre la massa infinita degli usi linguistici individuali a manifestazioni concrete di un numero limitato di lingue e mostrare come queste siano in grado di spiegare gli usi individuali documentati e possibili. Per far ciò la linguistica, come diremo nel prossimo capitolo, ha dovuto e deve evidentemente concentrare la sua attenzione sulle lingue, sulle loro fattezze e sul loro vario configurarsi.

---

[1] A queste possono aggiungersi alcune decine di **lingue dei segni**: la LIS, Lingua italiana dei segni, l'AmerSLan, Lingua americana dei segni, e le altre in uso nelle comunità di sordomuti sparse nel mondo, ma – si badi – non coincidenti né arealmente né strutturalmente con le lingue foniche delle rispettive comunità di udenti e parlanti. Dopo un periodo di diffidenza o di onesta ignoranza, la linguistica, almeno la più avvertita, ha compreso che queste lingue che non si parlano, ma (come tecnicamente si dice) si «segnano», sono appunto tali, cioè lingue: nonostante esse non ricorrano al canale fonico-uditivo e presentino anche alcune caratteristiche formali diverse dalle linge parlate, a queste sono equipollenti per aspetti essenziali della sintassi e della semantica (v. p. 111).

Capitolo terzo

La linguistica di fronte alle lingue:
un po' di storia (e di geografia)

Com'è fatta una lingua, una qualsiasi delle seimila lingue del mondo? Dai primi secoli dell'età moderna gli studi linguistici non hanno cessato di riproporsi questa stessa domanda, ma in maniera di secolo in secolo sempre più articolata e complessa, con ricerche sempre più rigorose e stringenti. Nelle pagine immediatamente seguenti cercheremo di mostrare rapidamente in che modo si siano andati creando questi livelli di ricerca sempre più complessi tra il Rinascimento e i nostri giorni.

Inizialmente gli studi linguistici hanno ereditato e affinato termini e concetti della grammatica, della retorica e della logica antiche e medievali di tradizione greco-latina, araba ed ebraica. Dal tardo Rinascimento, si è cercato di costruire una **grammatica generale**, cioè una grammatica capace di dar conto degli elementi presenti nella grammatica di ogni lingua: tale fu, ad esempio, la *Grammaire générale et raisonnée* di Port-Royal. In realtà, la grammatica generale guardava soprattutto, nel proporre le sue generalizzazioni, alla grammatica e sintassi del latino, la lingua più nota e meglio descritta dalla tradizione di studi grammaticali del Medioevo europeo. Ma già tra Quattro e Cinquecento e ancor più successivamente si erano create o erano giunte a maturità in Europa nuove condizioni linguistiche oggettive. Grandi vicende storiche d'ordine sociale, politico, intellettuale, religioso resero sempre più difficile limitare l'attenzione degli studi linguistici al solo latino e, in più, solo a qualche lingua derivata dal latino come il francese. Ricordiamo le maggiori vicende storiche che hanno inciso sull'assetto linguistico dell'Europa moderna e sul modo di considerare le lingue.

Dobbiamo rammentare anzitutto che in Europa dal Due e Trecento si andarono affermando sempre più pienamente i «volgari», cioè le lingue del popolo (latino *vulgus*) distinte dal latino, l'antica lingua di Roma e dell'Impero romano. Il latino, anche caduto l'Impero romano d'Occidente (476 d.C.), era rimasto la lingua delle classi colte (preti, monaci, medici, giuristi, notai) per tutto il Medioevo, così come il greco nella sua variante bizantina era stata la lingua religiosa e colta dell'Europa orientale. I volgari affermatisi dopo il Mille erano numerosi e, fra di essi, alcuni emersero come lingue proprie delle diverse nazionalità che, intanto, si andavano organizzando, almeno in parte, in entità politiche autonome, in stati (vedi tav. 4).

Diciamo **neolatini** o **romanzi** i volgari direttamente derivati dal latino: il portoghese, il castigliano (comunemente detto spagnolo) e altre parlate della Spagna affini al castigliano, il catalano, il provenzale o occitano, il francese e gli altri dialetti della Francia affini al francese, il toscano, che dal Cinquecento fu detto **italiano**, e gli altri due grandi blocchi di dialetti italiani, i **dialetti italoromanzi settentrionali** sia **galloitalici** sia **veneti**, e i **dialetti italoromanzi centromeridionali**. Tutti questi idiomi volgari, insieme ad altre lingue nazionali o meno diffuse, come il rumeno, il ladino, il sardo, il friulano, il gallego, costituiscono l'insieme delle **lingue romanze**.

Altri volgari sono **germanici**: il tedesco, l'inglese, il nederlandese, il danese, lo svedese, il norvegese, l'islandese. La latinizzazione della parte occidentale dell'Impero romano non riuscì a cancellare le parlate del gruppo **celtico**. Queste nella seconda parte del primo millennio a.C. avevano avuto una immensa estensione, dalla Gallia all'Italia settentrionale, alla Spagna, alle isole britanniche, all'Anatolia (Turchia). Riassorbite largamente dal latino e dal greco, alle soglie dell'età moderna sopravvivevano (e vivono ancora) in Irlanda, nel settentrione della Gran Bretagna, in Bretagna. Altri idiomi dell'Europa medievale e moderna sono **slavi**: così lo slavo ecclesiastico o antico bulgaro, il polacco, il bulgaro, il ceco, lo slovacco, lo sloveno, il serbocroato e, in quella che un tempo si chiamava la Moscovia, cioè l'attuale Russia, il russo. Il **greco**, che col latino era stata l'altra grande lingua dell'Impero romano, aveva resistito e si era perfino espanso nelle regioni orientali d'Europa e del Mediterraneo durante il Medioevo, ma poi il suo dominio areale era stato progressivamente ristretto dall'espansione dell'**arabo**, conseguente all'affermazione travolgente dell'Islam, e da quella del **turco**. Dal tardo Quattrocento il greco sopravvisse solo nell'area dell'attuale Grecia e in alcune aree dell'Italia meridionale.

L'affermazione dei volgari andò di pari passo con il delinearsi delle maggiori nazionalità europee e, come si è detto, con la formazione dei primi stati nazionali. Da lingue del volgo, prevalentemente solo parlate, alcuni volgari cominciarono ad affermarsi, a spese del latino, in vaste aree geografiche non solo nell'uso parlato, ma anche nelle scritture private e contabili, nella lirica, nel teatro, nella novellistica, nei poemi, nei linguaggi tecnici, infine nelle norme giuridiche e nella trattatistica (dove però il latino riuscì a resistere a lungo, fino al Settecento).

Già da solo l'avvento dei volgari e la consapevolezza della evidente diversità che avevano rispetto al latino e tra loro alterarono il quadro mentale in cui si erano mossi i grammatici greci antichi, attenti al solo greco, e i latini, attenti soprattutto al latino.

Cresceva intanto la complessità sociale ed economico-produttiva delle società europee, in cui acquistavano importanza traffici e commerci, attività artigianali e prime forme di industria. Ciò tendeva a creare il bisogno di una più diffusa alfabetizzazione che, per essere efficace, doveva avvenire nei volgari, e non più in latino. D'altra parte la Riforma protestante per motivi di carattere religioso chiese ai fedeli la lettura diretta dei testi sacri del Cristianesimo. Questi avevano avuto già vicende linguistiche complesse. I libri della Bibbia, sacri anche per l'ebraismo, furono originariamente redatti in ebraico e poi tradotti in greco nel II secolo a.C. dai Settanta. Invece il Nuovo Testamento (*Vangeli*, *Atti degli Apostoli*, *Epistole*, *Apocalisse*) fu inizialmente redatto in greco. Dopo l'affermazione del Cristianesimo nell'Impero romano (inizi del IV secolo), tutti i testi furono poi tradotti in latino, nella cosiddetta Vulgata, da san Girolamo nel IV-V secolo d.C. Con la Riforma tutti i testi ebraico-cristiani cominciarono a essere sistematicamente tradotti in tedesco, inglese e altre lingue moderne perché fossero direttamente accessibili ai fedeli, ai quali direttamente si voleva affidata l'interpretazione dei testi stessi. Per essere buoni cristiani, bisognava sapere leggere. Quindi non solo fattori socioeconomici, ma anche fattori religiosi concorsero a determinare il bisogno di una più larga e sistematica istruzione elementare po-

polare che, fin dal Cinquecento, specie nei paesi tocca-
ti direttamente dalla Riforma, fu obbligatoria e gratuita
(in Italia bisognò aspettare la legge Casati del 1859 perché si generalizzasse, almeno sulla carta, l'istruzione
elementare obbligatoria e gratuita). L'istruzione elementare, come si è detto, di necessità fu impartita non
più in latino, ma nelle nuove lingue vive europee e solo
i pochi che accedevano allora a studi più che elementa-
ri imparavano il latino. Nacquero così grammatiche e
vocabolari delle nuove lingue.

All'inizio del Cinquecento il monaco italiano Am-
brogio Calepio pubblicò un'opera destinata a immensa
fortuna per due secoli e più, il *Calepino*, un dizionario
plurilingue in cui alla parola latina si affiancavano i vocaboli equivalenti (oggi noi diremmo i **traducenti**) in italiano, francese, tedesco e altre lingue volgari. Ma i pro-
gressi degli studi filologici dell'Antichità classica avviati-
si con l'Umanesimo italiano e la conseguente percezione
della distanza non solo temporale, ma culturale e linguistica del latino e greco classici rispetto alla latinità e gre-
cità medievali, rendevano insoddisfacenti le sommarie
traduzioni di Calepio. Un allievo dell'umanista italiano
Giano Lascaris, Robert Estienne, latinamente Stepha-
nus, pubblicò nel 1532 un monumentale e fondamentale *Thesaurus linguae Latinae*, e nel 1572 il figlio Henri
pubblicò l'altrettanto fondamentale *Thesaurus linguae
Graecae*: in entrambi i *thesauri* ogni parola veniva accu-
ratamente documentata nelle sue varie sfumature di significato (**accezioni**) e ricondotta ai testi e contesti in cui
appariva. L'ormai piena affermazione dei volgari fece
sentire il bisogno di elaborare anche per essi trattazioni
lessicografiche di livello pari a quello dei due Estienne.
Nacquero così nel 1612, tra Firenze e Venezia, il *Vocabolario degli Accademici della Crusca* (riedito nel 1623,

poi, con ampliamenti, nel 1691 e, con criteri meno rigidamente attenti al solo fiorentino scritto arcaico, nel 1729-38), nel 1694, a Parigi, il *Dictionnaire de l'Académie française, dedié au Roy*, nel 1713 a Coimbra il *Vocabulario portuguez e latino*, nel 1726-29 il *Diccionario de la lengua castellana*, nel 1775 il *Dictionary, with a Grammar and History of English Language* di Samuel Johnson, nel 1774-86 il *Versuch eines vollständigen grammatischkritischen Wörterbuch der hochdeutschen Mundarten* di Johann Cristoph Adelung. L'intero patrimonio lessico-grammaticale delle maggiori lingue europee veniva così a dispiegarsi allo sguardo dell'intellettualità europea più colta.

Abbiamo già evocato l'importanza dei movimenti religiosi per le vicende delle lingue e dello studio delle lingue. Dobbiamo ancora richiamarla. Le dispute religiose dell'Europa del Cinque e Seicento, se da un lato alimentarono le traduzioni nei volgari, dall'altro spinsero teologi e dotti a risalire alle redazioni originarie ebraica e greca dei testi sacri, a confrontare puntualmente l'ebraico con l'antica traduzione greca dei Settanta e i testi latini di san Girolamo con gli antecedenti. Fra Cinque e Settecento per gli intellettuali più colti fu un obbligo conoscere, oltre al greco e al latino, anche l'**ebraico**, una lingua **semitica**, affine all'arabo, di caratteristiche assai diverse da quelle del greco, del latino e delle altre lingue europee.

Così da una parte si raffinava lo sguardo, dall'altra si ampliava l'orizzonte delle lingue prese in considerazione da grammatici, lessicografi e filologi.

Dalla fine del Quattrocento altri due grandi processi storici portarono a grandi ampliamenti e affinamenti dell'orizzonte linguistico delle classi colte europee.

Dopo la cosiddetta scoperta dell'America (1492), al

seguito dei Conquistadores, lo spietato genocidio dei nativi americani, proseguito senza vergogna fin quasi alle soglie del nostro secolo, si accompagnò allo sforzo di evangelizzare i superstiti. Ciò non era possibile se non nelle loro lingue, numerosissime e assai diverse dal nord al sud dell'immenso continente americano. Missionari, specialmente gesuiti, misero mano a scrivere grammatiche e vocabolari delle lingue **amerindiane**: e tali descrizioni sono oggi spesso l'unica testimonianza di lingue parlate da popoli talora notevolmente sviluppati e un tempo fiorenti. Tra Sette e Ottocento tali lingue dovevano offrire a studiosi europei, come Humboldt (e poi, nel nostro secolo, anche ispanoamericani e angloamericani), fenomeni eterogenei rispetto a quelli delle lingue europee già note e descritte. Le categorizzazioni della tradizionale grammatica delle lingue classiche cominciarono a rivelare la loro solo parziale adeguatezza.

Negli stessi secoli i rapporti con l'Oriente asiatico, mai del tutto interrotti (proprio la speranza di arrivare in India via mare animò i primi viaggi esplorativi verso l'America), diventarono sempre più intensi. Commercianti e missionari promossero lo studio e la conoscenza di lingue di antica tradizione, già grammaticalmente descritte dai dotti dei rispettivi paesi. Alcune erano, come già le amerindiane, assai diverse dalle lingue dell'Europa e del mondo mediterraneo: tali il **cinese** e il **giapponese**. In India, invece, commercianti, missionari e, dal Settecento, i colonizzatori britannici si imbatterono nell'antica lingua della cultura e della religiosità indiana: il **sanscrito**. La conoscenza del sanscrito fu a doppio titolo decisiva per gli studi linguistici, per un motivo di cui diremo poco oltre, e perché offrì agli studiosi europei strumenti e modi di analisi dei fatti linguistici elaboratisi in India fin dal IV secolo a.C., con la grammatica sanscrita di Pànini, e assai più rigorosi e fini della grammatica di tradizione occidentale.

Da questo crescente accumulo di conoscenze di lingue antiche e nuove, tra la fine del Seicento e l'inizio del Settecento le personalità dominanti della filosofia europea, l'inglese John Locke, i francesi Antoine Arnauld, Claude Lancelot e altri signori di Port-Royal, il tedesco Gottfried Georg Wilhelm Leibniz, l'italiano Giambattista Vico, già traggono conclusioni importanti sulla natura mutevole e storica delle lingue e sulla profondità delle loro differenze non solo in fatto di pronunce e scritture (le due cose ancora si confondono), ma anche nel modo di organizzare i significati e la grammatica. E anche ciò fu di stimolo, nell'Europa dell'Illuminismo e del nascente Romanticismo, a intensificare lo studio delle lingue e la loro sistematica **comparazione**.

Acquisita l'idea che in linea di principio ogni lingua è diversa da ogni altra, la comparazione rivelò che, nel mareggiare delle differenze tra lingue, queste presentavano a gruppi talune affinità. Se scegliamo alcune nozioni abbastanza fisse e comuni per popoli ed epoche differenti e consideriamo in che modo esse sono espresse nelle varie lingue, balza ai nostri occhi (come cominciò a osservarsi tra Sei e Settecento), che alcune presentano, oltre alle differenze, delle **affinità**. Accertare se queste affinità erano occasionali oppure se erano sistematiche e decidere se erano dovute a contatti tra lingue oppure alla conservazione di un patrimonio inizialmente comune fu il primo compito degli studi linguistici che andavano ormai consolidandosi in una disciplina autonoma denominata **linguistica**. Cominciò così un immenso lavoro, che ancora prosegue, volto a individuare le grandi famiglie in cui possiamo raggruppare le lingue del mondo (tavv. 1-2).

Ma il confronto tra le lingue, la **Vergleichung** dei

grandi studiosi tedeschi tra XVIII e XIX secolo, come Wilhelm von Humboldt e Franz Bopp, ebbe e conserva finalità diverse. Ne enumeriamo almeno quattro:

1. capire sempre di più struttura e storia di ciascuna singola lingua, le cui trasformazioni attraverso il tempo ci si fanno più chiare confrontandola con le altre: compito della **storia della lingua** o **storia linguistica** di ciascun popolo;

2. lo studio del trasformarsi delle lingue nel tempo e del loro raccogliersi e suddividersi in un numero relativamente ristretto di grandi famiglie di lingue di comune origine, studio che dall'Ottocento è compito elettivo della **linguistica storica**;

3. l'individuazione di alcuni tipi di lingue che, al di là delle differenze, mostrano tratti comuni (per esempio, possedere o non possedere la distinzione tra nomi e verbi, possedere o non possedere gli articoli, non avere un ordine fisso delle parole oppure averlo e privilegiare l'ordine soggetto-verbo-oggetto, SVO, come in inglese o in italiano, oppure SOV ecc.), che è compito della **linguistica tipologica** o **tipologia linguistica**;

4. l'individuazione di tratti e caratteri comuni a tutte le lingue, compito che, in parte in continuità con la vecchia grammatica generale degli inizi dell'età moderna, è proprio della **linguistica generale**.

La coesistenza di questi indirizzi di studio e l'accettazione delle conoscenze linguistiche che sono derivate da ciascuno non sempre sono state pacifiche. Specialmente nella prima metà di questo secolo (in Italia anche per qualche tempo in più) vi sono stati momenti di contrasto aspro e di reciproca chiusura.

In un'opera capitale degli studi del Novecento, nel *Corso di linguistica generale* (1ª ed. 1916), il ginevrino Ferdinand de Saussure (1857-1913) aveva teorizzato:

1. la necessità di guardare ai fatti linguistici in tutta la loro estensione e complessità, studiando storia (cioè sia trasformazioni **interne** sia vicende e condizionamenti **esterni**, socioculturali, politici ecc.) e strutture di ciascuna **lingua** (in francese **langue**) tra tutte le possibili, l'uso di ciascuna nelle espressioni individuali (che chiamava, in francese, **paroles**), il costituirsi e funzionare delle lingue grazie al **linguaggio**, una facoltà innata nel cervello umano, **(faculté du) langage**;

2. la conseguente necessità di collocare ogni fatto linguistico su tre dimensioni, rispetto a tre coordinate:

a. l'**asse della sincronia** o **della simultaneità**, per capire che funzione ha in una data lingua un elemento linguistico (un suono o un elemento lessicale o grammaticale o il significato ecc.) in rapporto agli altri con cui coesiste e co-funziona;

b. l'**asse della diacronia** o **della successione**, per capire da che cosa viene e, in prospettiva, che cosa diventa un elemento linguistico, come cambiano singole funzioni grammaticali e singoli significati;

c. l'**asse della pancronia** o **delle leggi universali**, per capire in che modo un elemento si collega alle forze onnipresenti in ogni punto della realtà linguistica, cioè, in definitiva, alla natura universale del *langage*.

Le lacerazioni, i contrasti, le reciproche chiusure tra diversi indirizzi della linguistica hanno a lungo ritardato la comprensione della complessiva visione saussuriana. La novità di alcuni suoi punti di vista, quali la concezione della lingua come **sistema funzionale** e la correlativa nozione di **analisi sincronica**, hanno polarizzato le attenzioni, pro o contro Saussure. Egli è stato creduto e dipinto a torto come un fautore di una linguistica attenta solo alla descrizione sincronica di singole lingue. Ma la linguistica, per Saussure, come si è detto, doveva essere altrettanto attenta anche alla storia delle lingue, ai loro condizionamenti socioculturali, all'uso espressivo individuale da un lato, dall'altro ai condizionamenti biopsicologici generali e alle costanti universali riscontrabili in ogni lingua e in ogni uso delle lingue. Nei paesi in cui, come in Italia o Gran Bretagna o Germania, gli studi di linguistica storica furono dominanti, gli studi di linguistica generale e le descrizioni funzionali di singole strutture linguistiche (e perfino Saussure in quanto presunto fautore della sola analisi sincronica) sono stati per parecchio tempo ignorati o osteggiati. Altrove, al contrario, si è asserito il primato esclusivo delle descrizioni strutturali delle lingue in un certo momento del loro sviluppo, cioè in sincronia, ma anche in ciò non senza ulteriori contrasti. Negli Stati Uniti a lungo ha prevalso l'idea che bisognasse rifiutare ogni studio del significato e limitare la descrizione funzionale delle lingue ai versanti percepibili, tangibili, cioè fonici, escludendo quello studio dei significati, che il maestro di Saussure, Michel Bréal, chiamò **semantica**: compito del linguista avrebbe dovuto essere quello di un registratore intelligente, capace di constatare ed evidenziare le similarità e regolarità dei comportamenti (*behaviors*) linguistici. In nome di questa concezione, detta **behaviorismo**, sono stati a lungo proscritti da molte università statunitensi gli studi descrittivi di taglio europeo, fino a spingersi a vietare agli studenti la lettura del *Corso di linguistica generale* di Saussure, accusato di parlare di cose che non si vedono e toccano, come la lingua, e dunque accusato di **mentalismo**. In effetti, la lingua, il sistema linguistico, c'è ma non si vede, come non vediamo il reticolo di meridiani, paralleli e altitudini su cui collochiamo e regoliamo la rotta dei nostri percorsi: agli occhi dei behavioristi esisteva e andava studiato solo ciò in cui si inciampa. Negli

Usa anzitutto, contro il behaviorismo si è levata negli anni Cinquanta e Sessanta la protesta di Noam Chomsky (1928) e degli studiosi che, sulle sue orme, si sono detti **generativisti**. In tale indirizzo, diffusosi dagli Usa in tutti i paesi, la messa tra parentesi o l'aperto rifiuto hanno riguardato l'esprimersi individuale, l'**esecuzione** o, in termini saussuriani, la **parole**, nonché la variabilità degli usi linguistici e, ancora una volta, almeno inizialmente, il significato. L'interesse si è concentrato invece sulle strutture mentali che regolano la produzione e comprensione delle frasi.

Non è questo il luogo per dar conto delle diverse ragioni dei vari indirizzi o per tentare più o meno fondate conciliazioni. Queste rapide indicazioni vogliono solo dare un'idea della complessità degli studi linguistici e, quindi, di inevitabili divergenze ad essi interne. Per quanto talora enfatizzate da alcuni degli stessi linguisti, tali divergenze non sono superiori a quelle che possono reperirsi in scienze dure, in scienze esatte o naturali, come la fisica cosmologica o quella delle particelle, come la genetica o le teorie matematiche dei fondamenti della matematica. E certamente nemmeno sono superiori a quelle di tante scienze umane, come la psicologia, la sociologia, l'economia politica. Comunque, di là dei contrasti e a volte perfino attraverso i contrasti, si è venuto precisando e arricchendo un nucleo comune di nozioni basilari, un sillabario delle nozioni linguistiche minime irrinunciabili, necessarie, oggi, per rispondere alla domanda posta all'inizio di questo capitolo, a cui risponderemo ora nei capitoli successivi: come è fatta una lingua?

Capitolo quarto

Come è fatta una lingua: la fonologia segmentale, i fonemi

Cercheremo qui di cominciare a rispondere alla domanda iniziale del cap. 3 nel modo più semplice. Abbiamo parlato nel cap. 2 della lingua come repertorio di parole e costrutti, precisando subito che si trattava d'una prima approssimazione. Muoviamoci ora verso una definizione più articolata e precisa.

In qualunque lingua, parole e frasi sono entità a due facce. Da un lato vi è **la faccia che regola**, cioè limita e indirizza, **le possibili realizzazioni foniche** (e, quindi, grafiche ecc.), ed è la faccia che chiamiamo **significante**. Dall'altro lato vi è **la faccia che regola i possibili usi** della parola o della frase **per riferirsi a cose esterne** da esse, per minacciare, ordinare, chiedere, per connettersi ad altre parole e frasi ecc., ed è la faccia che chiamiamo **significato**. Diciamo inoltre: **enunciazioni** o, col termine saussuriano, **paroles** (singolare **parole**) le concrete realizzazioni individuali d'una parola o d'una frase; **espressioni** le realizzazioni del significante sia fatte con la voce e percepite con l'udito, quindi **fonico-uditive**, sia fatte con la scrittura e percepite con la vista, quindi **grafico-visive**; diciamo contenuti o **sensi** i particolari usi, le particolari realizzazioni di un significato e, tra queste, gli usi **referenziali** delle parole, cioè quelli per cui una parola o un'intera frase si riferiscono a una cosa o a una situazione di fatto, cosa e situazione che diciamo **referente**.

Torneremo più oltre sul **significato** e sui **sensi** (anche referenziali) delle parole e delle frasi. Ci soffermeremo qui ora sul significante.

In tutte le lingue si verifica che il significante di ciascuna delle parole e delle frasi possibili in una lingua non è un tutto unitario inanalizzabile, ma si decompone in due livelli: un **livello segmentale** e un **livello soprasegmentale**. Lo studio dei livelli segmentale e soprasegmentale del significante è compito della **fonologia**.

Fonologia segmentale. Il livello segmentale deve il suo nome al fatto che il significante delle parole non si configura come un tutto unitario, ma si rivela analizzabile in una successione di **segmenti**. Nel parlato, nella realizzazione fonico-uditiva, tali segmenti sono rappresentati da **suoni**, che produciamo con la voce e udiamo con l'orecchio; nelle realizzazioni grafiche, nel caso delle scritture alfabetiche, da **lettere**, che scriviamo o stampiamo e distinguiamo con l'occhio. Fermiamo l'attenzione sulle realizzazioni fonico-uditive, che sono nella storia della specie umana e nella vita dei singoli esseri umani quelle primarie. I segmenti in questione sono detti **fonemi**.

Prima osservazione: un fonema non è il suono concreto, che articoliamo o udiamo, ma è la **classe** o, con parole più semplici, usate dai fonetisti dell'Ottocento e del primo Novecento, la **famiglia di suoni** (o di **foni**) cui appartiene il suono che concretamente articoliamo e concretamente udiamo in una parola. In italiano, e perfino per una stessa persona, ci sono innumerevoli modi diversi di realizzare il fonema iniziale e finale di *ala*, il secondo di *cane*, il secondo e quarto di *papa*, insomma il fonema /a/, che così rappresentiamo con i simboli dell'Association Phonétique Internationale - International Phonetic Association, API o IPA (vedi tav. 7). A seconda delle estrazioni regionali dei locutori il fonema italiano /a/ si presenterà piuttosto come [a⁻] (*a* posteriore) quasi la [ʌ] dell'inglese *but* [b ʌ t] in un napoletano che dica con enfasi *cane* ['ka⁻:nᵉ], o come [a⁺] (*a* anteriore), quasi una *e* aperta, in un barese che dica il nome della sua città e pronunci ['ba⁺:ri], o con un principio di labializzazione (arrotondamento delle labbra) in alcune pronunce settentrionali: [aᵘ]. E sarà ora breve, ora un po' più lunga [a·], ora decisamente lunga [a:], a seconda delle collocazioni del fonema nella parola, come meglio poi vedremo, o a seconda di esitazioni o dell'insistenza o dell'enfasi.

E non basta. Nella realizzazione dei suoni che rappresentano i fonemi di un significante opera la **coarticolazione**. Progettiamo unitariamente le realizzazioni dei fonemi di uno stesso significante e produciamo in stretta sequenza tali realizzazioni sicché la realizzazione di un fonema che precede influisce su quella del fonema che segue e ne è influenzata. La realizzazione del fonema italiano /a/ di /'gatto/ è marcatamente più spostata verso la zona velare dell'apparato orale rispetto a quella anteriore dello stesso fonema in /'pappa/.

Tutti questi suoni concreti o **foni** che realizzano il fonema /a/ hanno tra loro diversità sensibili, al punto che permettono di distinguere di volta in volta le origini regionali di una persona, l'enfasi con cui parla, il tipo di foni precedenti o seguenti quello in questione. Ma, in italiano, queste differenze non servono a distinguere famiglie o classi diverse di suoni. E cioè in casi come quelli menzionati la sostituzione di un fono all'altro, detta

commutazione, non dà luogo ad un diverso significante, ossia ad una parola di diverso significato. Non troviamo in italiano una **coppia minima**, cioè una coppia di parole uguali in tutto il resto e differenti solo perché in una c'è [a⁺] barese e in un'altra [a⁻] napoletana, in una parola una *a* breve [a] e in un'altra una *a* lunga [a:].

Una situazione del genere non è presente in tutte le lingue per questa e altre differenze tra i foni. Ricordiamo per esempio che due foni come [a] e [a:], i quali in italiano sono varianti di uno stesso fonema /a/, appartengono invece a due distinti fonemi /a/ e /a:/ in latino, friulano, inglese, tedesco. In queste lingue la commutazione di un suono vocalico breve con uno lungo dà o può dare luogo a parole diverse. Ciò è provato dalle coppie minime esistenti in quelle lingue, come per es. in inglese /bi:f/, *beef*, «manzo», e /bif/, *biff*, «percossa», in latino /ˈvenit/ «viene» e /ˈveːnit/ «venne» ecc.

Ma anche in una stessa lingua si può avere l'azzeramento, la **neutralizzazione**, della distinzione tra due fonemi in certe posizioni: per esempio l'italiano standard distingue /e/ (*io pésco*) da /ɛ/ (*il pèsco*) ed /o/ (*la bótte*) da /ɔ/ (*le bòtte*) in sillaba tonica, ma in altre posizioni la distinzione si neutralizza.

La **commutabilità** è un concetto centrale della linguistica non solo nel caso dei fonemi. In generale, **due entità linguistiche rappresentano realizzazioni di una stessa classe se in una data lingua la loro commutazione non è possibile o non porta mai a diversi significanti**, la cui diversità è garantita dal diverso significato. Esse invece rappresentano classi diverse se, commutandosi, danno o possono dare luogo a significanti diversi.

Seconda osservazione: i fonemi sono **classi o famiglie delle minime unità segmentali commutabili**. Porzioni segmentali più piccole dei segmenti fonici realizzanti i fonemi sono possibili e reali, ma non sono singolarmente commutabili. Ogni fono ha una fase di **impostazione** o **catastasi**, una di **tenuta** e una di **risoluzione** o **metastasi**, fusa, nel *continuum* dei foni, con l'impostazione del fono successivo. Ciascuna fase ha una sua durata nel tempo e si proietta in un segmento interno al segmento complessivo del fono. I corrispettivi di queste tre fasi o altri frammenti di **segmenti subfonici** non godono uno per uno della proprietà della commutabilità con effetti sul significato, ma commutano in blocchi e per blocchi corrispondenti ai foni.

Terza osservazione: per esercitare la loro funzione di differenziazione di significanti i fonemi devono avere a loro volta caratteristiche che li differenziano. Da quanto abbiamo detto è chiaro che non tutte le caratteristiche differenzianti i foni hanno **rilevanza** al fine di distinguere due fonemi. Per esempio, in italiano, come abbiamo visto, la diversa durata dei foni realizzanti in sillaba accentata /a/ e le altre vocali non è rilevante al fine di distinguere classi diverse di fonemi vocalici. Invece è rilevante in altre lingue e, nello stesso italiano, è rilevante per molte consonanti (le cosiddette **doppie** dell'italiano, che hanno durata doppia delle **semplici** e che alcuni interpretano come fonemi consonantici lunghi opposti ai brevi semplici). Chiamiamo **tratti fonologicamente rilevanti** o **distintivi** o **pertinenti** quelli che in una data lingua svolgono la funzione di differenziare una famiglia di suoni, un fonema, dagli altri. Diremo quindi per esempio che la durata breve o lunga delle vocali in italiano non è fonologicamente rilevante, non è un tratto pertinente, mentre lo è in latino, inglese, tedesco o friulano.

Anche il concetto di **rilevanza** o **pertinenza** o **distintività**, evidentemente collegato a quello della commutabilità con effetti sul significato, è centrale in tutta l'analisi linguistica. Esso tuttavia risulta di utilizzazione crescentemente problematica a mano a mano che dal livello dei fonemi si procede verso livelli di entità linguistiche più complesse di cui parleremo nel seguito, come le entità fonologiche soprasegmentali, i morfemi, i sintagmi, le frasi e i significati.

Soffermiamoci ancora sui tratti dei fonemi. Nella loro materialità, e cioè non in quanto utilizzati come pertinenti in una certa lingua, essi sono studiati dalla **fonetica**, che perciò viene da alcuni considerata una disciplina naturalistica, distinta dalla fonologia, e che certo è un terreno di confine tra linguistica e scienze fisiche, come l'acustica, neuroscienze e scienze anatomiche. Nella loro materialità i tratti possono guardarsi da vari punti di vista.

Anzitutto possono considerarsi come particolari modalità con cui l'**apparato di fonazione** (polmoni, trachea, glottide, laringe, cavità nasali, cavità boccale con velo palatino e lingua, labbra: vedi tav. 8) conforma l'aria che esce dai polmoni e produce così:

1. le **articolazioni egressive** o **espiratorie**, di gran lunga le più comuni;

2. quelle **ingressive** o **inspiratorie**, rare, presenti nell'uso italiano solo in alcune poche interiezioni che, per esempio, sfruttano il tirar su con il naso o brusche inspirazioni boccali;

3. quelle **avulsive**, dette anche **clic(k)**, ottenute in fase di stasi espiratoria, facendo schioccare una parte mobile dell'apparato di fonazione, come labbro inferiore o lingua, contro una parte non mobile, come labbro superiore, guancia, palato duro: i clic presenti in italiano in alcune interiezioni o nel fonosimbolo infantile imitante il galoppo di un cavallo, ma assenti nella realizzazione dei fonemi distintivi per la generalità delle paro-

le, sono invece foni realizzanti fonemi in diverse lingue africane.

Un secondo punto di vista è considerare gli effetti acustici dei tratti articolatori. L'analisi strumentale della voce consente di isolare, per ogni fono, lo spettro acustico o spettrogramma delle rispettive vibrazioni acustiche.

Terzo punto di vista correlativo ai primi due è considerare i tratti per l'impressione che suscitano sul nostro udito: impressione di diffusione o concentrazione, di minore o maggiore acutezza, di maggiore o minore tensione o rilassatezza ecc.

Un quadro dei tratti dal punto di vista articolatorio è offerto dalla tabella a matrice dell'Alfabeto fonetico internazionale (tav. 7). Incrociando i vari tratti si ottiene una mappa dei foni possibili, mappa che possiamo considerare completa per i foni egressivi. Entro tale mappa le singole lingue trascelgono i tratti pertinenti per differenziare i loro fonemi e trascelgono quindi i loro fonemi stessi.

In generale i fonemi sono di numero assai più limitato di quanto consentirebbe la combinazione dei tratti fonetici e anche la combinazione dei soli tratti scelti come pertinenti. Molte combinazioni restano inutilizzate.

Lo scarto tra combinazioni possibili (stimabili a oltre settecento) e i fonemi di una lingua dà il grado di **ridondanza** dei sistemi fonematici rispetto alla combinabilità naturale dei tratti articolatori. Si stima che, facendo una media generale del numero di fonemi esistenti in ciascuna delle varie lingue, il numero medio di fonemi sia di circa 31. Vi sono lingue con pochi fonemi, 11 per esempio nel rotokas (6 consonanti e 5 vocali) o nel piraha (8 consonanti, 3 vocali), 14 nel samoano (9 consonanti, 5 vocali); e lingue con un numero assai elevato, come il yeletnye (111 consonanti e 9 vocali) o il xóô (116 consonanti e 44 vocali). In italiano, riferendoci allo standard toscano-romano (vedi note a tav. 7), distinguiamo 7 fonemi vocalici e 23 consonantici (se consideriamo le doppie, *pp*, *bb*, *tt* ecc. come iterazioni di uno stesso fonema semplice e non come un altro fonema, e se consideriamo fonologicamente rilevante la distinzione di [s] e [z], [ts] e [dz], [i] e [j], [u] e [w]): l'italiano, dunque, come del resto altre lingue europee, può giustamente dirsi che abbia un numero medio di fonemi. In tutti i casi, anche nelle lingue con un sistema fonematico di grande ricchezza, i fonemi sono di numero assai inferiore alle combinazioni di tratti teoricamente possibili.

Di nuovo, come nei casi già segnalati della pertinenza e della commutabilità, la ridondanza è un aspetto della lingua che, come vedremo, investe non solo i fonemi ma anche altre entità linguistiche: a diversi livelli constateremo che le entità linguistiche sottoutilizzano le possibilità di combinazione delle unità che le costituiscono.

Vediamo immediatamente un secondo aspetto della **ridondanza fonologica**. I significanti delle parole italiane si distinguono tra loro perché ciascuno raggruppa alcuni di questi trenta fonemi in gruppi la cui diversità è garantita sia dalla completa diversità dei fonemi presenti (così per esempio /'mari/ è diverso da /'tubo/) sia dal diverso disporsi degli stessi fonemi (a causa del diverso ordine degli stessi fonemi si diversificano /'mari/, /'rima/, /'mira/, /'rami/, /'armi/). Con un numero limitato di fonemi, sfruttando la diversità del loro ordinamento, le lingue possono differenziare un'enorme quantità di significanti.

La potenza di questo meccanismo, che impressionò già gli antichi filosofi come Aristotele, Epicuro e Lucrezio, non sempre è bene intesa. Per capirla il linguista deve chiedere aiuto ad un ramo della matematica e della statistica: il **calcolo combinatorio**. Per orientarci nella materia dobbiamo ricorrere alla più semplice delle formule del calcolo combinatorio:

$$D' = n^k$$

In una **combinatoria**, chiamiamo **disposizioni (D) con ripetizione** (¹) i raggruppamenti in cui: 1. le *n* unità di base della combinatoria possono occorrere più di una volta in un gruppo, sono *ripetibili*, distinguendo così un gruppo da un altro (così, ad esempio, nella numerazione il gruppo 222 è diverso da 22 e da 2222); 2. i due gruppi, anche a parità di unità che li compongono, sono diversi a seconda della **disposizione** o **ordine** delle unità (così, nella numerazione, 32 è diverso da 23, 481 da 841, 148, 814). Nella formula data più su, *n* indica il numero di unità di base della combinatoria e *k* indica il numero dei posti di una classe di raggruppamenti: così, nella nostra abituale **numerazione decimale araba**, si ha *n*=10 (tante sono le cifre di base da 0 a 9); nella stessa numerazione 1 è un gruppo a un posto (*k*=1), 11 o 65 sono gruppi a due posti (*k*=2), 364 o 591 sono gruppi a tre posti (*k*=3) ecc.

Torniamo ora alla lingua. Rispetto ai fonemi, considerati come unità di base di una combinatoria, i significanti delle parole potrebbero considerarsi disposizioni con ripetizione. In effetti /mi'rai/ diverge da /'mira/ perché ne ripete uno degli elementi; e, invece, come già abbiamo accennato, /'mira/ è diverso da /'rima/, grazie al diverso disporsi degli stessi fonemi. Se consideriamo i significanti come combinazioni di fonemi e, più esattamente, come disposizioni con ripetizione, e vogliamo prevedere quanti sono i raggruppamenti teorici possibili di 30 fonemi in raggruppamenti a k posti, possiamo dunque applicare la formula data più su.

I raggruppamenti a un posto saranno ovviamente $30^1=30$, a due posti $30^2=900$, a tre $30^3=27.000$, a quattro $30^4=810.000$, a cinque $30^5=24.300.000$, a sei $30^6=729.000.000$, a sette $30^7=21.870.000.000$. Fermiamoci qui. Significanti di tre fonemi come /'vai/, /'ara/ ecc. sono estratti, per dir così, da un insieme potenziale di 27.000 raggruppamenti; /'vado/, /'kade/, /'mira/ provengono da un insieme di 810.000 possibilità; parole con significanti di cinque fonemi come /'marka /, /ur'tai/, /'tinta/ sono estratti da oltre 24 milioni di possibilità, parole a sei fonemi, come /or'tika/, /'vedono/, /'subito/ vengono da un insieme ancor più vasto, di oltre settecento milioni di possibilità, parole a sette fonemi, come /ve'dendo/, /sen'tire/ ecc. vengono da un insieme di oltre ventuno miliardi di possibilità. Vedremo più oltre dati più precisi sul numero di parole di una lingua. Dizionari italiani come lo Zingarelli o il *Disc* registrano a lemma circa 100.000 parole, che sono per lo più sostantivi o invariabili. Grandi fonti lessicografiche come il *Grande dizionario della lingua italiana* di Salvatore Battaglia o il *Gradit* registrano oltre 200.000 lemmi. Tenendo conto che molti lemmi sono parti variabili del discorso e che almeno in parte, circa 30.000, sono verbi, cioè parole che in italiano hanno una ricca serie di forme coniugate, l'insieme delle forme flesse italiane (declinate o coniugate) si aggira intorno ai due milioni. Dunque le forme significanti effettivamente esistenti e in uso si librano, per così dire, in un *vacuum* immenso di centinaia, anzi milioni di miliardi di forme non utilizzate. Un esempio: una parola italiana di undici fonemi, come /soste'nevano/, ha intorno a sé più di diciotto milioni di miliardi di forme lunghe undici fonemi non utilizzate.

C'è dunque nelle lingue un apparente enorme spreco di risorse: si tratta d'uno spreco in parte sistematico, a causa di **regole di restrizione** alla libera combinabilità dei fonemi (vedi oltre, cap. 5). Per avere un paio di milioni di significanti distinti tra loro una lingua con 30 fonemi potrebbe anche avere parole a non più di 5 posti (30^5=24.300.000) ed economizzare sulla lunghezza delle parole, che invece in italiano come in molte altre lingue giungono ad essere lunghe anche più di 20 fonemi. Oppure una lingua potrebbe rinunciare a buona parte dei suoi fonemi di base, averne 10, anziché 30, e limitare a 7 i *k* posti dei suoi significanti (10^7=10.000.000).

È facile vedere che l'economizzazione nel numero di fonemi di base e nella lunghezza dei significanti ridurrebbe enormemente la ridondanza. Faticheremmo molto di meno a produrre significanti. Ma faticheremmo assai di più a riceverli e identificarli nel modo giusto. L'immensa distanza che c'è tra l'una e l'altra combinazione in uso come significante ci permette di identificare immediatamente, ascoltando o leggendo, i *lapsus linguae* e i *lapsus calami*: se troviamo scritto **postenevano*, **costenevano*, **dostenevano*, **sestenevano*, **sastenevano* ecc., non abbiamo difficoltà (e tanto più, come poi diremo, tenendo conto delle parole precedenti e seguenti) a ricostruire la forma corretta *sostenevano*. In generale, la ridondanza consente di porre un argine agli effetti del **rumore**: chiamiamo così **l'insieme degli innumerevoli disturbi che alterano la trasmissione di un testo scritto o di un discorso parlato**.

Ma la ridondanza ci consente di più. A chi ascolta o legge essa permette momenti di caduta dell'attenzione puntuale e costante, consente di afferrare i segni scritti e parlati con una percezione *globale* anche se alcuni segmenti sono sfuggiti. E, correlativamente, consente a chi scrive o parla realizzazioni rilassate che nel parlato non articolano e non scandiscono ogni singolo suóno né eseguono con precisione ogni singola lettera nella scrittura manuale. L'analisi strumentale del parlato effettivo così come l'analisi di scritture corsive mostra ampiamente come la ridondanza aiuti anche chi parla o scrive a lasciarsi andare, se vuole, a realizzazioni rilassate.

Una indicazione generale ricaviamo da queste considerazioni sulla fonologia segmentale: una lingua è fatta perché l'attività verbale si possa sviluppare reggendo all'urto di circostanze estranee e di cadute di tensione e di attenzione nella produzione come nella ricezione. Questa lezione sarà confermata spostando la nostra attenzione alla fonologia soprasegmentale.

Capitolo quinto

La fonologia soprasegmentale: sillaba, accento, intonazione

La fonologia soprasegmentale studia i fenomeni fonologici (dunque non meramente fonetici, ma capaci di distintività) che si collocano in una dimensione più ampia di quella dei segmenti minimi commutabili, fonemi e loro foni. Tali sono la sillabazione (che alcuni considerano un fenomeno di combinatoria segmentale); l'accentazione e la parola fonologica; l'intonazione o prosodia.

La **sillabazione** è un **principio linguistico universale**. In tutte le lingue si constata che i fonemi si combinano tra di loro non già direttamente e in ogni raggruppamento possibile, ma aggregandosi previamente in sillabe. La sillaba è un aggregato di fonemi costituito da un **vocoide V** intorno a cui possono disporsi, prima e dopo, dei **contoidi C**. Se indichiamo in esponente il numero minimo di elementi e in deponente il numero massimo con una formula la **sillaba** è rappresentabile come

$$C_n^0 \, V_n^1 \, C_n^0$$

Con vocoide ci riferiamo anzitutto alle vocali e, inoltre, a quelle articolazioni che condividono con la vocale i caratteri della **sonorità** (vibrazioni glottidali), **continuità** (prolungabilità della tenuta) e **modulabilità** (realizzabilità su note diverse senza interruzioni) e che in date lingue (non in italiano, ma sì, ad esempio, in lingue slave) possono portare l'accento e fare (come avviene in tedesco o in inglese ecc.) da centro di sillaba. Tali sono le consonanti nasali, le laterali o liquide e le vibranti.

In tutte le lingue, la sillabazione crea **regole di restrizione**, ossia un vincolo alla combinabilità dei fonemi, nel senso che, come si vede dalla formula data più su, essa esclude le combinazioni di soli contoidi, e quindi ad esempio in italiano esclude le combinazioni di sole consonanti. Queste combinazioni escluse, in percentuali decrescenti al crescere di k, oscillano per esempio tra il 76% per $k=1$ o il 40% per $k=3$ e il 12% per $k=7$. La sillabicità è dunque una fonte di **ridondanza** obbligata. È una ridondanza a forte base naturale, anche se è integrata da regole particolari (o **parametri**) variamente operanti in singole lingue.

Dalla sillabicità dipende anche in modo sostanziale la **durata** o **quantità** o **tenuta** dei fonemi. Diciamo **sillabe aperte** quelle che terminano per vocale: $C_n^0 V_n^1 C_o^0$; diciamo **sillabe chiuse** quelle che terminano in consonante: $C_n^0 V_n^1 C_n^1$. Assumiamo come unità di misura della quantità la durata di realizzazione di una **vocale breve**: in italiano è la durata di una vocale atona, cioè non accentata, in sillaba aperta (la *a* di *capì*) o tonica, cioè accentata, ma in sillaba chiusa (la *a* di *canto*). A tale tempo di durata si dà il nome di **mora** (dal latino «indugio», termine tecnico della metrica classica). Si dice **breve** ogni segmento o sequenza di segmenti che duri una mora; si dice **lungo** ogni segmento che duri due o più more. Simboli: per la durata breve ˘, per la lunga ¯. In tutte le lingue le eventuali **consonanti antevocaliche** di una sillaba hanno durata prossima a zero: la loro tenuta è minima, e ciò che percepiamo è solo la loro brevissima metastasi esplosiva o fricativa. Hanno invece durata di una mora le **consonanti postvocaliche** che chiudono la sillaba: di esse percepiamo non solo la metastasi, ma anche il tempo di tenuta. In qualunque lingua, quindi, le sillabe chiuse sono necessariamente lunghe, quale che sia la quantità di V. In italiano, come si è detto, la quantità di V è regolata automaticamente dalla struttura sillabica e dalla posizione dell'accento: si ha sempre V̆, vocale breve, in sillaba atona aperta e in sillaba tonica chiusa, si ha V̄, vocale lunga, in sillaba tonica aperta in penultima posizione. Ne deriva che il tempo di una sillaba tonica italiana è sempre pari a una lunga, mentre le atone sono lunghe se chiuse, brevi se aperte.

In lingue in cui, come in latino, inglese, tedesco, friulano, le vocali di egual timbro possono essere sia lunghe sia brevi nello stesso contesto sillabico, la quantità delle sillabe aperte varia al variare della quantità vocalica: sono brevi le sillabe aperte con vocale breve, lunghe le sillabe aperte con vocale lunga e, ovviamente, tutte le sillabe chiuse, che contengano o no una vocale lunga.

L'**accento** o, con termini più ristretti, l'**accento di parola** è un altro universale linguistico, connesso alla sillabicità del significante. Le sillabe di ciascuna **parola fonologica** si aggregano intorno a una **sillaba tonica** o **accentata**. La parola fonologica non necessariamente coincide con la parola che troviamo nel vocabolario (per es. *andamento*, *andare*, *andatura* ecc.) o con una forma declinata o coniugata di una parola (per es., *andamenti*, *andasse*, *andassimo*, *andature* ecc.). Essa è una sequenza di sillabe che si raccolgono intorno alla sillaba accentata. Per restare agli esempi fatti sono quindi parole fonologiche (le separeremo con un trattino e sottolineiamo la sillaba tonica) -anda*men*to- -un anda*men*to- -per l'anda*men*to- -sull'anda*men*to- ecc., -an*das*se- -gli an*das*se- -se ne an*das*se- ecc., -an*da*re- -an*dar*ci- -an*dar*sene- ecc.

Le parole che troviamo nel vocabolario ma che, in una data lingua, non portano (o possono non portare) accento e si appoggiano all'aggregato accentato di altre parole si dicono **clitici** (dal greco *klíno* «[mi] inchino»): in italiano sono clitici articoli, preposizioni, particelle pronominali come *si*, *mi*, *lo*, *ci* ecc. Sono **proclitici** i clitici che si appoggiano all'accento di una parola successiva (per es., *gli* in *gli dirò*), **enclitici** i clitici che si appoggiano a una parola precedente (*gli* in *dirgli*). La parola fonologica, dunque, è una parola normalmente accentata cui siano aggregati dei clitici, sicché per esempio nella sequenza *gli dissi di andarsene per favore* distinguiamo sei parole grafiche, otto diverse parole reperibili nel vocabolario, ma solo tre parole fonologiche (-*gli dissi*- -*di andarsene*- -*per favore*-).

A seconda delle lingue, l'accento viene realizzato con due diverse procedure foniche: l'**accento espiratorio** o **di intensità** è realizzato con un aumento di tensione della sillaba accentata e un maggior volume di voce in rapporto alle altre sillabe; l'**accento melodico** o **musicale** è realizzato con un aumento della frequenza delle vibrazioni glottidali e, quindi, dell'altezza della vocale accentata in rapporto alle vocali delle altre sillabe. L'italiano è, come le altre lingue romanze, la maggior parte delle germaniche, il neogreco ecc., una lingua ad accento espiratorio. L'accento musicale è presente in svedese, in lituano, in lingue slave e fu proprio delle lingue indoeuropee in fase antica, sanscrito, greco classico e, per lo meno nel periodo classico, latino.

La **collocazione dell'accento** varia secondo **parametri** notevolmente diversi da lingua a lingua. È **completamente libera** in giapponese: una stessa parola polisillabica può essere accentata su una o altra sillaba a seconda del contesto in cui la parola è calata e delle scelte del locutore. È **completamente fissa** in lingue come il polacco (nei polisillabi è accentata sempre e solo la penultima sillaba), o il francese (nei bi- e polisillabi sempre e solo l'ultima sillaba con vocale non indistinta; se l'ultima sillaba contiene una vocale centrale indistinta [ə] l'accento cade sulla sillaba precedente). La collocazione è **condizionata** dalla lunghezza delle sillabe in lingue come arabo, sanscrito o latino classici. In latino l'accento dei polisillabi (tranne un limitato gruppo di parole ossitone, con accento sull'ultima, come *adhùc* o *Arpinàs*) cade sulla penultima sillaba se questa è lunga, risale sulla terzultima (e mai oltre) se la penultima sillaba è breve (cioè, ricordiamolo, se è una sillaba aperta con vocale breve).

In italiano la collocazione dell'accento è **relativamente libera**. L'accento non risale di norma oltre la quartultima sillaba, su cui però cade solo in circostanze particolari, cioè per fenomeni di coniugazione, come in *càpitano*, *fàbbricano*, *lùcidano*, oppure per la presenza di particelle enclitiche, come in *andàndosene*, *dicèndoglielo*, particelle che possono determinare perfino accenti sulla quintultima, come in *lùcidamelo*, *fàbbricacela*. Di norma, altrimenti, l'accento non risale mai oltre la terzultima. Entro questo limite l'accento è relativamente libero: ogni parola ha un suo accento (non vi è mai cioè la totale libertà del giapponese), ma la sede dell'accento è imprevedibile guardando alla struttura fonematica della parola: per es. abbiamo serie come /ˈkapito/, /kaˈpito/,

/kapi'to/; /'kritiko/, /kriti'ko/; /'kapitano/, /kapi'tano/, /kapita'no/ ecc. A parità di sequenza di fonemi e sillabe, l'accento può cadere a seconda delle parole su una qualunque sillaba.

In tutte le lingue l'accento serve a marcare la principale del gruppo di sillabe della parola fonologica. In aggiunta a ciò, in lingue ad accento relativamente libero l'accento può svolgere la funzione di distinguere significanti e dare luogo a coppie minime come quelle italiane già citate o, ancora, /'ridi/ e /ri'di/, /ka'stigo/ e /kasti'go/, /'apri/ e /a'pri/ ecc.

Una terza famiglia di fenomeni soprasegmentali è quella dei fenomeni relativi all'**intonazione** o **prosodia**. Se l'accento segnala l'unità delle sillabe che si raggruppano in una parola fonologica, le intonazioni ascendente [↗], discendente [↘], sospesa [↔] ecc., segnalano: 1. il raggrupparsi delle parole fonologiche in unità più ampie, di cui torneremo a parlare, i **sintagmi** (gruppi unitari di parole distinti in una frase); 2. i rapporti o, almeno, alcuni rapporti tra i sintagmi, come i rapporti di predicazione o di incidentalità ecc.; 3. il rilievo che si vuole dare, la **focalizzazione** o **messa in rilievo** di una tra le tante parole della frase; 4. il termine delle frasi; 5. particolari valenze delle frasi e/o delle loro enunciazioni: constatazione, esclamazione, dubbio, interrogazione, minaccia ecc.

Si osservi, per concludere questa parte, che da un fonema all'altro, da una accentazione sulla terzultima (sdrucciola) a una sulla penultima (piana) ecc. passiamo, per dir così, con un salto: tra la /t/ e la /d/, tra /k/ e /g/ ecc. non ci sono variazioni intermedie; da /'kapito/ passiamo a /ka'pito/ o a /kapi'to/ di nuovo senza variazioni intermedie. Fonemi, sillabe, accenti rendono **discreta**, cioè **divisa in classi discontinue**, la possibile materia fonica. Le intonazioni, invece, sembrano variare in modo diverso, **continuo**. Tra un *Sei andato a casa?* nettamente interrogativo e un *Sei andato a casa!* di enfatica minaccia si collocano innumerevoli e sfumate varianti di dubbio, sospensione, constatazione, esclamazione, rimprovero. Da qui, da questo carattere debolmente discreto, le difficoltà di una rappresentazione grafica scientificamente fondata delle variazioni prosodiche. E del resto non per caso le variazioni prosodiche sono solo in piccola parte registrabili nelle ortografie correnti. E di qui, ancora, la lentezza e incertezza con cui si sono sviluppati gli studi sull'intonazione.

Lo sviluppo dell'analisi strumentale delle variazioni prosodiche e quello dell'analisi oggettiva (attraverso la *brain-imagery*, cioè la elaborazione di radioimmagini di stati e processi cerebrali) delle correlative variazioni percettive e, in rapporto con queste, del diverso senso annesso a una stessa frase a seconda dell'intonazione con cui è enunciata sta procedendo negli ultimi anni assai velocemente. Ciò lascia sperare che questo capitolo della fonologia soprasegmentale, ancor oggi smilzo, possa acquistare l'ampiezza che gli compete per la evidente rilevanza che i fatti intonativi hanno nel funzionamento dell'attività verbale.

Capitolo sesto

Parole, lessemi e morfi: la grammatica

Dal significante passiamo ora a considerare le entità caratterizzate contemporaneamente da un significante e da un significato: parole e frasi.

Non tutta la linguistica usa come termine tecnico la parola **parola** o i suoi traducenti, presenti, si può dire, in tutte le lingue del mondo. In effetti, il vocabolo italiano *parola* (come il francese *mot*, lo spagnolo *palabra*, l'inglese *word*, il tedesco *Wort* ecc.) è carico di accezioni da tenere ben distinte. Di volta in volta *parola* indica: a) la **parola grafica**, cioè ciascuno dei gruppi di lettere separati da bianchi in una frase, come quando diciamo che nella frase *I gatti vanno a caccia di topi e ogni topo teme perciò i gatti* ci sono quattordici parole, oppure diciamo che *perciò* può scriversi anche come «due parole»: *per* e *ciò*; b) i **tipi** o **forme** di parole, come quando diciamo che nella frase citata più su le parole *i* e *gatti* tornano ciascuna due volte, sono cioè presenti ciascuna con due **repliche** o **occorrenze**; c) l'**unità lessicale** cui le repliche di un tipo e i tipi diversi si riconducono secondo le regole di grammatica di una lingua: così, ad esempio, diciamo che *topo* e *topi* sono **forme** della stessa parola *topo*, così come *vanno* e *andassero* sono **forme** della parola o unità lessicale *andare*, *gatti* lo è della parola *gatto* ecc.; come si vede dagli esempi appena fatti, ciascuna unità lessicale è convenzionalmente indicata con una sua forma particolare, quella con cui viene citata, ed è perciò detta **forma di citazione**, o con cui viene elencata in ordine alfabetico nei vocabolari, ed è qui detta **lemma**: come forme di citazione in italiano, francese, inglese, spagnolo usiamo l'infinito per i verbi e il singolare (maschile) per le altre parti del discorso variabili; in latino e greco usiamo la prima persona del presente indicativo per i verbi e il nominativo singolare (maschile) per le altre parti variabili; in arabo la forma di citazione tradizionale è la terza singolare del perfetto per i verbi ecc.; d) la **parola fonologica**, cui, come già abbiamo detto nel cap. 5, non sempre corrisponde una sola parola grafica e che è un gruppo di sillabe raccolte intorno a una sillaba preminente accentata: in *dammelo* la grafia rende bene l'unità della parola fonologica, non così in *me lo dà* o in *per questo*, *di là*, *il cane*, *un cane* ecc. in cui la tradizione ortografica italiana separa in parti graficamente distinte parole fonologicamente unitarie.

Per evitare equivoci e mettere ordine nell'intrico dei diversi sensi, la linguistica usa termini diversificati o ridetermina quelli correnti. Per c), cioè per l'unità lessicale, usa il termine **lessema**; per b) usa, come già detto, i termini **tipo** e **replica** o **occorrenza di un tipo**; per a) e d) restano in uso **parola grafica** e **parola fonologica**.

In italiano e in molte altre lingue un **lessema** si presenta in forme diverse a seconda del **co-testo** (parole precedenti e seguenti) e della frase in cui occorre una sua replica (o, a dir più esattamente, occorre la replica di uno dei tipi che declinazione e coniugazione possono prevedere per un lessema). La diversità può avere natura e motivazioni solo fonologiche (relative ai suoni e, nei sistemi ortografici più fedeli, di riflesso, alle lettere). Per esempio in italiano occorrono per ragioni eufoniche, di ritmo e metrica, senza conseguenze sul significato della forma, forme tronche accanto a non tronche (*andaron*, *vedon*, *cuor* per *andarono*, *vedono*, *cuore*) o elise (*l'elica* per *la elica*, *un'amica* accanto a *una amica*); oppure, sempre in italiano, occorrono forme con iniziale consonantica rafforzata (di solito solo nella realizzazione fonologica, non nella grafia) come le iniziali di *casa* e *te* in *a casa* [a k'ka:sa], *a te* [a t'te] ecc. Si tratta, come si vede, di variazioni che riguardano il significante, ma non il significato e la funzione della parola.

Assai più varie e importanti per il funzionamento della lingua sono le **variazioni con funzione grammaticale**. L'insieme di queste per ciascun lessema costituisce ciò che chiamiamo **flessione del lessema**: **declinazione** nel caso di articoli, sostantivi, aggettivi e pronomi, **coniugazione** nel caso di verbi. Grazie alle variazioni di forma del lessema, cioè grazie alla flessione, vengono segnalate:

1. le funzioni del lessema stesso rispetto agli altri della frase: in italiano, per esempio, nella frase (accompagnabile da una messa in rilievo prosodica) *Molti popoli assoggettò la potenza di Roma* il verbo al singolare segnala che il soggetto è *la potenza di Roma*;

2. le relazioni con le categorie previste dalla grammatica di una lingua, e quindi per esempio in italiano: numero e genere per articoli, sostantivi, aggettivi; tempi, modi, persone, numero per i verbi; persone e in parte funzione di soggetto o di complemento per i pronomi personali ecc.; in latino o tedesco, in russo o in greco a queste categorie va aggiunta la categoria del **caso** (soggetto, oggetto diretto, oggetto indiretto, genitivo ecc.) di

sostantivi, aggettivi e pronomi, nonché, in greco e tedesco, articoli ecc.; si avverta che una qualche distinzione di caso sopravvive anche nelle lingue romanze e in inglese per i pronomi personali in cui si contrappongono le forme del soggetto (*io*, *tu* ecc.) e quelle del complemento oggetto o indiretto (*me*, *mi*, *te*, *ti* ecc.);

3. le relazioni tra il significato del lessema e il **co-testo verbale** o il **contesto situazionale** in cui la frase è enunciata: se un parlante dice *Ho visto un bel film. Guarda, lui sta andando a vederlo*, i verbi della frase chiariscono che l'enunciato: a) è rivolto a una seconda persona singolare (*guarda*); b) tratta di una terza persona, singolare e di sesso maschile; c) tratta, nella sua seconda parte, di un *vedere* di cui questa terza persona è soggetto e che si riferisce a un oggetto (*-lo*) già presente nel cotesto (*un bel film*).

Guardiamo ancora ad esempio il lessema italiano *andare*. Esso assume la forma *andando* in dipendenza da un altro verbo per marcare la concomitanza dell'andare con l'azione espressa dal verbo (*andando a casa ho visto Luigi*), la forma *andare* se svolge funzioni di soggetto o oggetto di altri verbi (*andare a spasso è piacevole*), la forma *andrei* per esprimere che l'io enunciante è disponibile, ma con qualche dubbio, ad andare ecc.

Le variazioni del lessema con funzioni grammaticali possono riguardare la terminazione del lessema, la desinenza: così in italiano distinguiamo *ama* da *amano*, *amavano*, *amò* ecc., *alto* da *alta*, *alti*, *alte* ecc. Oppure possono riguardare l'interno del lessema e parliamo in casi del genere, frequenti in greco, latino, tedesco, inglese, in lingue semitiche, di **flessione interna**: così in italiano distinguiamo *vede* da *vide*. O ancora, possono riguardare la parte iniziale: così in latino esistevano dei perfetti (equivalenti ai nostri passato prossimo e remoto) con raddoppiamento della sillaba iniziale, sicché *ce-cinit* (arcaico **cecanit*) si distingueva dal presente *canit*.

Come mostra l'ultimo esempio fatto, i diversi tipi di variazione possono cumularsi, e ciò in condizioni diverse da lingua a lingua e, in una stessa lingua, da un tipo all'altro di lessema. Ciò permise già agli antichi grammatici greci e latini di constatare che i lessemi si raccolgono e distinguono in diversi **paradigmi** (modelli) di declinazione e coniugazione a seconda delle serie di variazioni cui i lessemi stessi sono assoggettati. Così la grammatica di tradizione già classica ha insegnato a distinguere per il latino la declinazione analoga a quella di *rosa*, *rosae* (prima declinazione, temi in *-a*), quella analoga a *dominus*, *domini* (seconda declinazione, temi in *-o*) ecc. o per i verbi le coniugazioni del tipo *amo* (prima coniugazione, temi in *-a*), del tipo *video* (seconda coniugazione, temi in *-e*) ecc.

Mentre le variazioni di natura puramente fonologica possono investire lessemi d'ogni tipo, le variazioni con funzioni grammaticali in molte lingue, tra cui l'italiano, investono solo alcuni gruppi di lessemi, di solito, per il vero, la grande maggioranza. Soltanto nelle **lingue isolanti**, come il cinese mandarino, i lessemi hanno tutti una forma fissa e invariabile. Nelle lingue che diciamo **flessive** distinguiamo invece due grandi categorie di lessemi. Da un lato stanno lessemi di forma non soggetta a variazioni grammaticali, come, in italiano, ma anche latino, inglese ecc., le preposizioni (*in*, *con*, *su* ecc.), le congiunzioni coordinanti e subordinanti (*e*, *o*, *mentre*, *poiché* ecc.), gli avverbi (*assai*, *meno*, *veramente* ecc.) e le interiezioni (*ah*, *uffa* ecc.), la maggior parte dei nomi di numeri cardinali (*due*, *tre*..., *cento*, *mille* ecc.). Sono queste le **parti invariabili** del discorso. Esse conoscono solo variazioni fonologiche (*e, o* accanto a *ed, od, con il* accanto a *col* ecc.).

Le altre parti del discorso, articoli (*il, la, i* ecc.), sostantivi (*gatto, cane* ecc.), aggettivi (*alto, basso* ecc.), pronomi (*tu, lui, questo* ecc.) e verbi (*venire, andare, amare* ecc.) presentano generalmente variazioni grammaticali.

La grammatica tradizionale si limitava alla classificazione dei lessemi ora esposta, cioè alla classificazione per paradigmi di declinazione per sostantivi, aggettivi, pronomi e articoli e per paradigmi di coniugazione per i verbi, e la incrociava, a seconda delle tradizioni scolastico-grammaticali, con la distinzione in **partes orationis**, **parti del discorso**: le parti del discorso declinabili o coniugabili (in italiano: articolo, sostantivo o nome, aggettivo, pronome, verbo), e le parti indeclinabili o invariabili (in italiano: preposizione, congiunzione, avverbio, interiezione). Queste ultime erano una categoria unitaria per i grammatici arabi, bipartita per i greci, quadripartita per i grammatici latini e italiani (congiunzioni, preposizioni, avverbi e interiezioni).

La linguistica moderna ha sviluppato classificazioni ulteriori fondate su più sottili analisi della struttura e della funzione dei lessemi. Essa ha applicato alle frasi e ai loro costituenti il tipo di analisi già illustrato per i fonemi: la **segmentazione** della frase in **unità segmentali commutabili** le quali però, a differenza dei fonemi, sono **dotate di significato**.

Si consideri una qualunque frase, per esempio la frase italiana:

lo stallone bianco del capitano corre sul prato verde.

Possiamo segmentare la frase in due grandi blocchi, che riscriviamo qui tra parentesi graffe {*lo stallone bian-*

co del capitano}₁ e {*corre sul prato verde*}₂. Criteri diversi concorrono a giustificare questa analisi: la prosodia, per cui abbiamo un'intonazione ascendente sul primo blocco e una discendente sul secondo; la semantica e la sintassi congiunte per cui 1 è sostituibile in blocco dalla sua **testa**, cioè *lo stallone* o, ancor più unitariamente, da un semplice *lui*, e 2 è sostituibile da *corre* o da *va*.

A loro volta i due blocchi possono ciascuno segmentarsi in unità costitutive più brevi, ciascuna delle quali è commutabile con altre: [*lo stallone bianco*] può commutare con *quello*, [*del capitano*] può commutare con *suo* ecc.; [*corre*] può commutare con *galoppa*, [*sul prato verde*] con *laggiù*. Per questa via la segmentazione giunge a individuare 6 parole fonologiche, in parte coincidenti con forme del lessema: (*lo stallone*)₁, (*bianco*)₂, (*del capitano*)₃, (*corre*)₄, (*sul prato*)₅, (*verde*)₆. L'analisi grammaticale tradizionale individua, entro le parole fonologiche, le parole grammaticali (*lo, del, sul*) che oggi diciamo **determinanti**, e sostantivi, aggettivi, verbi. La segmentazione, invece, si spinge oltre fino a raggiungere, sempre col criterio della commutabilità, le unità minime dotate di significante e di significato dette **monemi** o **morfi**. In questo nostro caso riconosciamo 18 morfi: /l-/ «articolo determinativo», /-o/ «articolo; maschile; singolare», /stal'lon-/ «sostantivo; maschio; adulto; Equus Equus», /-e/ «sostantivo; maschile; singolare», /bjank-/ «aggettivo; grado positivo; opposto a nero», /-o/ «aggettivo; maschile; singolare», /de-/ «preposizione; appartenente a», /-l/ «articolo determinativo; maschile; singolare», /kapi'tan-/ «sostantivo; grado intermedio tra tenente e maggiore», /-o/ «sostantivo; maschile; singolare», /korr-/ «verbo; movimento veloce», /-e/ «predicato; verbo; terza persona; singolare; presente; indicativo», /su-/ «preposizione; opposto a sotto», /-l/ «articolo determinativo; maschile; singolare», /prat-/ «sostantivo; terreno erboso», /-o/ «sostantivo; maschile; singolare», /verd-/ «aggettivo; grado positivo; intermedio tra giallo e blu», /-e/ «aggettivo; singolare; maschile o femminile».

In base a questo tipo di analisi possiamo riscrivere la nostra frase avendola analizzata nel modo seguente:

$$\{[(/l-/^1 \ /-o/^2 \ /stal^|lon-/^3 \ /-e/^4)_1 \ (/bjank-/^5 \ /-o/^6)_2]^1$$
$$[(/de-/^7 \ /-l/^8 \ /kapi^|tan-/^9 \ /-o/^{10})_3]^2\}_1$$

$$\{[(/korr-/^{11} \ /-e/^{12})_4]^3 \ [(/su-/^{13} \ /-l/^{14} \ /prat-/^{15} \ /-o/^{16})_5$$
$$(/verd-/^{17} \ /-e/^{18})_6]^4\}_2.$$

Le prove di commutazione che ci permettono di scandire la frase nei due sintagmi maggiori e nei loro costituenti fino a pervenire ai 18 monemi o morfi non sono da considerare solo una procedura d'analisi, in sé un po' pedantesca e di per sé non esaltante. Esse vanno considerate come conseguenza del fatto che ciascuna unità non è soltanto un **individuato fonematico** dotato di un significato. O, per dir meglio, essa è tale in quanto, attraverso le prove di commutazione, si rivela come il centro di una costellazione di **rapporti sintagmatici** (cioè rapporti con gli altri morfi presenti nella frase) e di **rapporti paradigmatici** (cioè rapporti con i morfi commutabili con essa) che consentono sia di circoscrivere segmentalmente l'individuato fonematico significante sia di delimitarne il significato.

Consideriamo ad esempio il morfo /-e/^{12} di /^|korre/, dotato del significato «predicato; verbo; terza persona; singolare; presente; indicativo»: esso ha una certa **distribuzione**, ossia ha qui **rapporti sintagmatici** con /^|korr-/ e con [*lo stallone bianco del colonnello*] e se la testa di questo blocco variasse di numero /-e/ sarebbe inaccettabile, e dovremmo avere /-ono/; ed ha anche **rapporti paradigmatici** con i morfi /-i/ di *tu corri*, /-'jamo/ di *noi corriamo*, /-'eva/ di *lui correva*, /-e'ra/ di *lui correrà*, /-se/ di *lui corse*, /-a/ di *lui corra* ecc.

Dalla posizione di /-e/[12] nella costellazione deriva il suo essere **complementare** con un morfo come /-a/ di *lui ama*. Insieme essi sono gli **allomorfi** di una stessa **classe morfica**: le desinenze di terza persona singolare indicativo presente, le quali assumono forma diversa a seconda del tema cui si connettono. Ciascuno degli elementi della costellazione e della classe complementare, a sua volta collegabile distribuzionalmente, sintagmaticamente a determinati morfi e paradigmaticamente ad altri determinati morfi, funge da delimitatore e qualificatore del morfo /-e/[12].

Se ora consideriamo il morfo /-e/[18] ci rendiamo conto che, di là dell'omofonia, esso è parte di tutt'altra costellazione. Ha tutt'altra distribuzione, in quanto si connette sintagmaticamente a lessemi nominali (sostantivi e aggettivi) e non a lessemi verbali, e si correla paradigmaticamente ai morfi di superlativo /-'issimo/ e/o /-'issima/ e a /-i/ di *verdi*; i suoi allomorfi complementari sono le desinenze di aggettivo positivo singolare femminile e maschile /-a/ e /-o/ di *bianco, rosso, alto* ecc.

La coincidenza dell'individuato fonematico non toglie che abbiamo a che fare con due morfi completamente diversi a motivo dei loro diversi significati e della diversità delle due costellazioni di rapporti sintagmatici e paradigmatici di cui ciascuno è peculiarmente partecipe.

La segmentazione, dunque, mette in evidenza che ciascun segmento morfico, ciascun monema, è un nodo di collegamenti con le altre parti presenti nel sintagma e nella frase e con altre parti, anche lontane, della lingua. La **frase** nella visione tradizionale è una sommatoria di parole allineate l'una dopo l'altra obbedendo al senso che ciascuna dovrebbe esprimere. Ancora oggi vi sono taluni filosofi del linguaggio che la vedono così. L'analisi segmentale ci aiuta a farcela apparire invece piuttosto come il disegno di un arazzo, le cui linee evidenti sottendono ciascuna una fitta e intricata trama di fili nascosti che sorreggono e determinano il disegno evidente in superficie. E la lingua, per questa via di un'analisi meno sommaria, comincia ad apparire non più come un repertorio di pezzi staccati, di *partes orationis*, ma come un dispositivo complesso, come un telaio con i suoi programmi di intreccio delle trame, che si attiva ogni volta che vogliamo esplorare un senso costruendo o intendendo una frase. Tra il senso da esprimere e noi c'è questo reticolo della frase e questa attrezzatura della lingua grazie a cui la frase si costruisce: senza l'uno e senza l'altra il senso non sarebbe attingibile né per il produttore né per il ricettore nella sua sfaccettata, imprevedibile complessità.

Descrivere questo reticolo di interrelazioni sintagmatiche e paradigmatiche che legano ogni morfo di ogni frase al complessivo repertorio di morfi della lingua è compito della **linguistica sincronica**. Al reale reticolo che regola ogni atto di *parole* ed ogni progettazione o ricostruzione di frasi diamo il nome di **grammatica** o, più esattamente, anche di **grammatica implicita** o **vissuta**, per distinguerla dalla sua descrizione esplicita, che chiamiamo **grammatica esplicita** o **riflessa**. Le descrizioni scientifiche del funzionamento di una lingua, ma anche la tradizionale grammatica normativa e scolastica sono (o cercano di essere) grammatiche esplicite. Si avverta che adoperiamo qui *grammatica* nel suo senso più ampio e rigoroso: per tornare agli esempi fatti, c'è una grammatica (implicita ed esplicita) di /stal'lon-/ e di /-e/, di /and-/ e di /-'jamo/ ecc. Vedremo tra breve che si usa anche spesso un senso più ristretto di **grammatica**, riferita soprattutto agli elementi desinenziali, alle categorie grammaticali e sintattiche.

Capitolo settimo
Categorie di morfi
e formazione delle parole

Con l'analisi in monemi o morfi la linguistica si è aperta la via verso una **classificazione degli elementi lessicali** più complessa e articolata, e più esauriente della tradizionale ripartizione in *partes orationis*, e verso una miglior comprensione del rapporto tra parole, frasi e grammatica.

Una prima grande classificazione riprende e ripropone, in certa misura, ma in una maniera diversa, la ripartizione tra **parole piene** e **parole vuote** della grammatica cinese ovvero tra **parole categorematiche** (predicabili) e **parole sincategorematiche** (prive di autonomia predicativa e utilizzabili solo in nesso con le prime) della grammatica degli scolastici medievali. Si tratta della distinzione tra **morfi lessicali** e **morfi grammaticali**. Prendiamo in esame una qualunque parola fonologica: /kor'rjamo/, /'gwardalo/, /ak'kasa/, /un 'kane/. In generale in italiano e nella grande maggioranza delle lingue ciascuna parola, come sappiamo, si presenta segmentabile in più monemi o morfi sulla base della commutabilità delle varie parti: confrontando /kor'rjamo/ con /'korrono/, /korre'vamo/ da un

61

lato, e /a'mjamo/, /ve'djamo/ dall'altro, isoliamo un morfo /'korr-/ e un morfo /-'jamo/. Con analoghe procedure isoliamo /'gward-/, /-a-/, /-lo/, /'kas-/, /-a/, /un/, /'kan-/, /-e/ ecc. La commutazione stessa evidenzia che questi morfi presentano caratteristiche diverse. Alcuni appartengono a **classi di commutazione** o **serie paradigmatiche** con un numero illimitato di elementi. Quanti sono i morfi italiani che possono commutare con /'korr-/ di /kor'rjamo/ o /'gward-/ di /'gwardalo/? Sono tutti i morfi verbo di tutte le coniugazioni nel primo caso e tutti i morfi verbo della prima coniugazione nel secondo. Si tratta di un numero enorme, dell'ordine di migliaia e migliaia, suscettibile oltretutto, come vedremo più avanti, di continui ampliamenti, e fortemente oscillante tra quanti conoscono meno e più parole della lingua. Similmente ampie e illimitate, anzi ancor più, sono le serie di sostituti commutabili con /'kas-/ di /'kasa/ e /'kan-/ di /un 'kane/: tutte le decine di migliaia di sostantivi femminili in -a e le migliaia e migliaia di sostantivi maschili in -e. Questa numerosità elevata e questa illimitatezza dei possibili sostituti non si ritrovano in morfi come /-'jamo/ o come /-a/ e /-lo/ di /'gwardalo/, /-a/ di /'kasa/ ecc. Certo, in italiano, lingua caratterizzata da una ricca e varia coniugazione come latino, greco antico, russo ecc., e non, invece, dalla maggiore fissità desinenziale dei verbi di lingue quali l'inglese o il francese parlato, gli elementi commutabili con /-'jamo/ non sono pochi. Tuttavia le desinenze verbali sono di numero calcolabile. Per un dato verbo esse sono le 3 desinenze delle tre persone, moltiplicate per i 2 numeri (singolare e plurale), per il numero dei 7 tempi non composti dell'indicativo, del congiuntivo, del condizionale, più le 2 desinenze dell'imperativo, 2 del gerundio e dell'infinito, 4 del participio passato e 2 del participio presente: $(3\cdot2\cdot7)+2+2+4+2 = 42+2+2+4+2 = 52$. In altre lingue, come si è accennato, il numero analogo sarebbe molto più limitato. E anche in italiano enormemente più limitato è il numero di morfi commutabili con /un/ di /un 'kane/ (/il/ e /0/) o con la /-a/ di /'kasa/, commutabile solo con /-e/ di /'kase/, o con la /-e/ di /'kane/, commutabile solo con /-i/.

A questa diversità dei rapporti paradigmatici tra i morfi dell'una o dell'altra classe si somma la diversità dei significati o, meglio, dei rapporti tra significati: i morfi lessicali hanno significati che spesso si sovrappongono, si intrecciano tra loro, si includono, come meglio vedremo più oltre; i morfi grammaticali, invece, hanno significati più nettamente distinti tra loro, generalmente in rapporto di esclusione reciproca.

Abbiamo dunque a che fare con due categorie diverse: da un lato morfi commutabili con molti altri di numero ampio e illimitato e con significati spesso sovrapposti, dall'altro lato morfi commutabili con pochi altri di numero assai piccolo e limitato e con significati che tendono a escludersi. I primi sono detti **monemi** o **morfi lessicali**, e sono presentati nei **lessici** o **vocabolari** o **dizionari** di ciascuna lingua e studiati dalla **lessicologia**; i secondi sono detti **monemi** o **morfi grammaticali**, sono presentati nella **grammatica** (ecco il senso ristretto cui si è accennato nel cap. 6) delle varie lingue e studiati dalla **morfologia e sintassi** o **morfosintassi**. I morfi lessicali, come avevano intuito i grammatici cinesi, sono «pieni» di possibili riferimenti concreti e precisi alle cose e agli eventi del mondo di cui parliamo nelle e con le frasi e sono indispensabili per «predicare», per dire qualcosa di qualche altra, come avevano compreso i logici medievali parlando di parole *categorematiche*. I morfi grammaticali sono più poveri di precisi riferimenti, servono piuttosto a legare le parole tra loro e le frasi alla situazione enunciativa e da soli non servono a predicare: **Gianni è a*, **Gianni è con*, **Gianni è -assero* sono frasi che non si dicono e, se si dicessero, sarebbero incomprensibili.

In italiano e in molte altre lingue i morfi grammaticali si presentano distinti in due categorie: **morfi grammaticali legati**, che si connettono immediatamente a un morfo lessicale o a un altro morfo grammaticale legato e tali sono desinenze, prefissi come *in-*, *de-* ecc., suffissi come *-mento*, *-zione*, *-izzare* ecc.; e **morfi grammaticali relativamente liberi**, come /un/, che possono sia connettersi immediatamente a un morfo lessicale sia esserne separati. Preposizioni (*per*, *in*, *con* ecc.), alcuni pronomi personali (*io*, *egli*), congiunzioni (*e*, *o*, *che*, *quando*) appartengono per lo più in italiano a questa seconda categoria.

Anche in una trattazione elementare non si può non avvertire che queste ripartizioni sono tipiche e tendenziali: non sono cioè rigide e totali, ma ammettono casi intermedi. Alcuni almeno di tali casi vanno ricordati.

In italiano come in molte altre lingue esistono morfi complessi: in italiano /ˈɛ/, terza persona del presente indicativo del verbo *essere*, o /ˈfu/, terza persona del passato remoto, comprimono in un unico morfo i valori lessicali dei lessemi citati come *essere* o *to be*, e numerosi valori grammaticali (terza persona, singolare, indicativo, presente). Ci troviamo dinanzi a morfi a un tempo lessicali e grammaticali.

Casi del genere hanno indotto una parte della linguistica contemporanea a postulare un livello di entità più astratte dei morfi o monemi: il livello dei **morfemi**.

Un morfema è un'entità dotata di significato che si proietta, sul piano del significante, in morfi, senza che necessariamente vi sia una corrispondenza biunivoca tra morfi e morfema. In lingue **agglutinanti** come l'ungherese la corrispondenza c'è: si ha *a ház* «casa», *a házban* «nella casa», *a ház-ak* «le case», *a ház-ak-ban* «nelle case». Ma nelle lingue flessive essa largamente manca: la /-i/ di (*io, tu, egli*) *ami* cumula i morfemi «predicatività o verbalità», «prima o seconda o terza persona» (morfema invece tripartito e affidato a morfi distinti nel plurale e in altri modi), «singolare», «congiuntivo», «presente». Una forma pronominale come il morfo /tu/ concreziona in sé i morfemi «pronome», «personale», «seconda persona», «soggetto», «maschile o femminile», «animato o inanimato» (e di nuovo gli ultimi due morfemi sono nettamente bipartiti in *lui* e *lei, lui* e *esso*).

Un'altra più rilevante categoria intermedia è quella dei morfi fungenti da **formanti lessicali**, e cioè prefissi, infissi e suffissi che, a partire da un lessema assunto come **base**, combinandosi con esso danno luogo ad altri lessemi. Da *arm(-a)* col suffisso di nome d'agente *-iere* ricaviamo *armiere*, con *-aiolo armaiolo*, invece con il suffisso verbale *-are* abbiamo *armare*, da cui col suffisso nominale *-mento* abbiamo *armamento* e da questo sostantivo col suffisso aggettivale o nominale *-ale* abbiamo *armamentale* e con *-ario* abbiamo *armamentario*. Da *armare* ricaviamo anche col suffisso *-ata armata* e da questo, con ulteriore suffisso, *armatura*; col suffisso di nome d'azione *-tore* abbiamo *armatore*, da cui, con *-iale*, *armatoriale*; col prefisso *dis-* abbiamo *disarmare*, e da *disarmare*, con *ri-* abbiamo *riarmare*, donde col «suffisso zero» i sostantivi *disarmo* e *riarmo*. Alcune **derivazioni**, specie in date fasi della storia di una lingua, hanno un'alta **produttività**: oggi in italiano da qualunque sostantivo *x* è formabile un verbo *x-izzare* «rendere *x*», almeno come **parola occasionale**. E ci sono **regole di restrizione**: per esempio con molti aggettivi è preclusa la derivazione in *-izzare*, sicché abbiamo *abbellire*, *imbruttire*, ma non **bellizzare*, **bruttizzare*.

Come i morfi grammaticali, i formanti lessicali sono morfi legati, ma le serie di cui sono parte sono aperte (a parte le regole di restrizione): ad *arm(are)* e *am(are)* si connette *arma* ma non un **ama* (sost. femm.), si connettono *armato* ed *amato*, ma accanto ad *amore* non c'è **armore*, ci sono *armamento* e *armatura* ma non **amamento* e **amatura*, ci sono l'*armiere* e l'*armeria*, ma non, almeno per ora, l'**amiere* e l'**ameria*; accanto a *venire* e *andare* troviamo sì *venuta* e *andata*, ma ad *andatura* e *andazzo* non si affiancano **venitura* e **venazzo*, si *sviene* ma non si **(di)sanda*, c'è *andamento* ma non **venimento* (salvo in derivati prefissati).

L'uso dei formanti lessicali non esaurisce i procedimenti della formazione delle parole. Ricordiamo ancora la composizione, la transcategorizzazione, l'abbreviazione, la polirematizzazione.

La **composizione**, largamente presente in molte lingue, combina tra loro morfi lessicali semplici in **morfi composti**: da *cassa* e *panca* si ha *cassapanca*, da *portare* e *bandiera* si ha *portabandiera*. Una classe particolare di composti è quella dei composti con prefissoidi e suffissoidi, detti confissi, per lo più di origine greco-latina e tipici dei linguaggi specialistici: *micro-*, *macro-*, *auto-*, *pseudo-*, *logo-* e *-logo*, *filo-* e *-filo*, *radio-*, *tele-*, *chiro-* e *-chiro*, *podo-* e *-podo/-pode* ecc.

L'**abbreviazione**, procedimento meno regolare, opera su lessemi, spesso composti, di particolare lunghezza: da *metropolitana* si è ricavato *la metro*, da *tramvai* il *tram*, da *automobile auto*, da *tossicodipendente tossico* ecc. Se con l'incremento delle comunicazioni interplurilinguistiche i glottologi diventassero una categoria molto numerosa e popolare, avremmo, probabilmente, i *glotto*.

La **transcategorizzazione** consente di formare sostantivi e, in italiano, più raramente aggettivi a partire da elementi lessicali di ogni altra categoria: da preposizioni e avverbi si hanno *il sopra, il sotto, il dopo*, da avverbi ricaviamo *l'ieri, il domani, l'oggi*, dall'infinito dei verbi si hanno i corrispondenti sostantivi, in generale invariabili (*lo scrivere, il leggere, il fare, l'amare*), ma spesso completamente morfologizzati come sostantivi (*il volere/i voleri, il potere, il dovere, il sapere* ecc.).

La **polirematizzazione** o **formazione di lessemi complessi**, detti **polirematiche**, consiste nella formazione di locuzioni complesse con valore di sostantivi, aggettivi, verbi, preposizioni ecc., il cui significato non è ricavabile dal significato dei lessemi costituenti, ma è un significato nuovo, nato sia in ambiti specialistici sia nel parlare corrente. Abbiamo così, per fare qualche esempio, verbi come *vedere rosso* «essere arrabbiato», *andare all'aria* «disperdersi, fallire», *dare spago a* «favorire», *dare retta a* «ascoltare», *essere a terra* «star male», *chiudere un occhio dinanzi a* «non badare», *non chiudere occhio* «non dormire», *chiudere gli occhi* «trascurare» ecc., e, in linguaggi specialistici, *mandare in onda* «trasmettere» (via radio o televisione), *mettere a fuoco* «regolare l'obiettivo di un dispositivo ottico», *fare il punto* «rilevare le coordinate di un punto della superficie terrestre», espressione rifluita poi con valore più generico nel parlare comune. Sostantivi polirematici sono, per esempio, *carta carbone, basso continuo, tromba d'acqua, tromba d'aria* ecc.; aggettivi polirematici sono *rosso fuo-*

co, verde bandiera, fumo di Londra, bianco come un cencio, rosso come un peperone ecc.; congiunzioni polirematiche sono *dal momento che, nella misura in cui* ecc.; avverbi polirematici sono *(a) mano (a) mano, fuori dei/dai denti* ecc. Torneremo a parlarne nel cap. 10.

Questi procedimenti non solo non si escludono ma spesso cooperano nel formare nuovi lessemi. Dal confisso *auto-* «da sé» e dall'aggettivo *mobile* si è formato l'aggettivo *(macchina) automobile*, transcategorizzato in *l'automobile*, sostantivo femminile poi abbreviato in *l'auto* che da un lato ha dato luogo ai sostantivi maschile e femminile *autista* e maschile *autiere*, dall'altro è stato transcategorizzato in aggettivo (*patente auto*) o ha dato origine a polirematiche come *auto occasioni* o, ancora, ha dato origine a nomi composti (in cui *auto-* vale «automobile» e non «da sé»): *autobotte, autorimessa, automercato* ecc.

Grazie a questi procedimenti ogni lessema può diventare la base, il punto di partenza per la formazione di un numero imprecisato e imprecisabile di derivati, che espandono in modo non prevedibile la massa lessicale di ciascuna lingua.

La ricchezza e varietà della massa lessicale, la plasticità dei significati di ogni singolo lessema rendono il lessico di una lingua una miniera da cui i parlanti nel corso del tempo traggono, tra altre neoformazioni, anche elementi grammaticali, congiunzioni (in italiano *senonché, sebbene, allorché* ecc.), preposizioni (*mediante, attraverso* ecc.) e perfino desinenze. Parole un tempo piene, per esempio il latino *habeo*, adoperate ripetutamente in certi giri di frase, come nel latino tardo *amare habeo*, inizialmente «ho da amare», si svuotano progressivamente del loro significato pieno, diventano col tempo un indicatore del futuro e il giro di parole un po' alla volta prima affianca, poi tende a sostituire gli antichi futuri latini del tipo *amabo*. Allo **svuotamento semantico** si accompagna un processo di **grammaticalizzazione**: dal latino *amare habeo*, attraverso le forme «volgari» *amare aio*, *ao*, le lingue romanze, messi da parte i vecchi futuri latini, traggono i nuovi futuri come l'italiano *amerò* o il francese *(j')aimerai*. Svuotamento semantico e grammaticalizzazione contrassegnano anche, per fare qualche altro esempio, l'uso dei verbi che volevano dire «volere» come indicatori del futuro in inglese o tedesco, la nascita degli articoli romanzi da *ille* «colui» e *unus* «uno solamente, unico» ecc.

Capitolo ottavo

Il lessico:
stratificazioni etimologiche, statistiche e sociolinguistiche

Una questione che a volte discutono anche persone di qualche cultura è decidere quale lingua abbia il vocabolario più ricco e numeroso. Posta così la questione è troppo imprecisa per ammettere una buona risposta. Cerchiamo dunque di precisarne i termini.

Anzitutto determiniamo che cosa si può intendere per **vocabolario** o **lessico** di una particolare lingua. Certamente ne fanno parte tutti quei moltissimi vocaboli o lessemi che, usati almeno da alcuni dei parlanti di una comunità, rispondano alle caratteristiche della fonologia, della grammatica e della formazione delle parole tipiche di una certa lingua. A questi occorre aggiungere un certo numero di lessemi, provenienti da altre lingue, ma non o poco adattati alla fonologia e grammatica della lingua d'arrivo: sono gli **esotismi** o **prestiti non adattati** o **grezzi** (come in italiano per esempio *overcraft* o *ukaz* o *shibbolet*, in francese *piccolo*, in inglese *studio* o *pot-au-feu* ecc.), detti anche, a volte con una punta di disprezzo, **forestierismi crudi**.

Grammatica, fonologia e in minor misura semantica di ciascuna lingua aiutano l'**etimologia**, che è lo studio

70

delle fasi e forme che una certa parola ha avuto attraverso il tempo, in diacronia, fin dalle epoche più antiche o documentate o ricostruite in base a ipotesi rigorose fondate sulla comparazione tra lingue geneticamente affini. L'etimologia a sua volta consente di distinguere nella massa lessicale di ciascuna lingua strati di lessemi di diversa origine e formazione. Per limitarci a parole dell'italiano d'oggi, grazie all'etimologia possiamo distinguere nel lessico italiano questi sei gruppi:

1. le parole che l'italiano e i dialetti italiani hanno ereditato certamente dal latino e che sono state modificate nel significante (per i regolari **mutamenti fonologici** che hanno segnato il passaggio dal latino alle lingue romanze e, in particolare, all'italiano) e a volte nel significato a causa di fenomeni storico-culturali: così, ad esempio, *acqua*, *fiume*, *madre*, *oro*, *padre*, *pieve*, *pioggia*, *toro* sono gli esiti attesi (in base ai regolari mutamenti fonologici) delle parole latine *aqua*, *flumen*, *matrem*, *aurum* (in larga misura è l'accusativo la forma base da cui derivano i sostantivi e aggettivi romanzi), *patrem*, *plebem* (nel senso, sviluppatosi nel latino cristiano, di «popolo di Dio di una certa parrocchia»), *pluviam*, *taurum*; si badi che, parlando di latino, dobbiamo intendere tutta la latinità, non solo quella aurea, ciceroniana e virgiliana, ma anche quella arcaica, argentea, tarda e cristiana e quella rustica o popolaresca, affiorante in epigrafi o nelle condanne di puristi e antichi grammatici;

2. le parole che l'italiano e talvolta anche i dialetti più colti hanno ereditato dal latino, ma che in misura notevole sono state sottratte al mutamento fonologico: anche *acqueo*, *fluviale*, *materno*, *aureo*, *paterno*, *plebe*, *pluviale*, *taurino* hanno i loro bravi antecedenti latini, *aqueus*, *fluvialis*, *maternus*, *aureus*, *paternus*, il già citato *plebem*, *pluvialis*, *taurinus*, ma sono entrati in italiano

per via inizialmente dotta: il toscano e gli altri dialetti italiani si erano già formati quando i vocaboli latini sono stati presi di peso, adattati solo nella morfologia e trasportati in italiano; troviamo così documentati nel 1282 *acqueo*, nel Trecento *fluviale*, nel 1319 *materno*, nel 1374 *aureo*, nel 1308 *paterno*, nel 1313 *plebe*, poco dopo *pluviale*, nel Quattrocento *taurino*; spesso una stessa parola latina, come nel caso di *plebem*, sopravvive due volte in italiano (e in altre lingue romanze): come parola che si è trasformata regolarmente (*pieve*) e come parola che l'italiano a un certo punto della sua storia ha preso in prestito dal latino (*plebe*, *plebeo* ecc.), e parliamo allora di **allòtropi**, cioè parole svoltesi per vie diverse;

3. gli **esotismi** o **prestiti adattati**: oltre i latinismi del punto 2, sono le parole entrate in italiano, spesso in fase antichissima, già nel medio Medioevo, provenendo da altre lingue; (a) lingue romanze: per esempio *gioia* viene dal francese antico *joie* (che risale al latino *gaudia*: che, se fosse stato ereditato direttamente dall'italiano, dovrebbe suonare **gozza*!), *disguido* entra nel Seicento in italiano e proviene dallo spagnolo *descuido*, tratto in spagnolo dal verbo *descuidar* (a sua volta formato da *des-* privativo e *cuidar* esito spagnolo del latino *cogitare* «pensare»), *regalo* e *regalare* sono anche ispanismi cinquecenteschi; (b) lingue germaniche, da cui vengono già in fase antica (dunque da longobardo, gotico, franco) *guancia*, *guardare*, *guerra*, *nastro*, *ricco*, *tappo*, *zanna*, e, in epoche più recenti, *bistecca* (dall'inglese); (c) molte altre lingue, arabo (*algebra*, *ragazzo*, *zero*), turco (*giannizzero*), russo (*bolscevico*) ecc.; una fonte lessicale ricchissima per l'italiano e tutte le lingue europee è il greco antico, che ci giunge in generale attraverso il prestito di parole greche al latino arcaico, classico, popolare, cristiano: *ampolla*, *anfora*, *base*, *chiesa*, *demonio*, *diavolo*, *ecclesiale*, *elemo-*

sina, fiala, filosofia, gamba, graffio, greco, Italia, lampada, mina, miniera, nave, orco, organo, parabola, parola, pitocco, rima, scena, tonno, tono, zaffiro, zeffiro...;

4. gli **esotismi** o **prestiti non adattati**, di cui abbiamo già detto: quali esotismi non adattati possiamo considerare inseriti a pieno titolo nel lessico di una lingua? Una buona risposta è stata data da un grande storico della lingua italiana, Bruno Migliorini: certamente e almeno tutti quelli che, anche se debolmente adattati, hanno dei derivati, e sono cioè inseriti nel processo di formazione delle parole di una lingua. Ad esempio *sport* (da cui l'italiano ha tratto *sportivo, sportività, polisportivo* ecc.) è un esotismo ormai del tutto naturalizzato in italiano, e così può dirsi di *bar, élite* ecc. Ma non si può lasciare da parte un criterio basato sulla statistica linguistica e sulla sociolinguistica, e cioè il criterio della larga notorietà e del largo e frequente uso del lessema: in inglese un esotismo non adattato come *studio*, in molte lingue *mafia*, in italiano parole come *kimono* e *lager* o *black out* non hanno (almeno per ora) derivati, e tuttavia sono talmente usate e note da non potere essere escluse dal repertorio lessicale delle varie lingue;

5. le **formazioni endogene**, cioè parole che si formano all'interno di una lingua in base ai meccanismi di formazione delle parole (vedi sopra pp. 65-69) propri di ciascuna lingua a partire da parole ereditarie (da *fiume, fiumana* o *fiumarolo*) o da prestiti adattati (*guerreggiare* da *guerra, ragazzata* da *ragazzo*) e, come abbiamo appena visto al punto 4, non adattati;

6. i **calchi** o **prestiti semantici**: è la categoria più sfuggente (e affascinante per chi studia la storia e le interferenze tra lingue), costituita da morfi di una lingua aggregati secondo il modello di parole straniere: così, in italiano, *lotta di classe* o *datore di lavoro* ricalcano le pa-

role tedesche *Klassenkampf* e *Arbeitgeber*, così in latino *conscientia* fu costruito (da Cicerone) ricalcando il greco *suneídesis*, composto di *sun-* «con» ed *eídesis* «sapere, scienza»; ma spesso non è necessario ricorrere a neoformazioni: una parola esisteva già con una sua accezione e assume nuovi sensi sul modello di una parola d'altra lingua che possedeva sì una simile accezione, ma anche altre: per esempio in latino *ratio* volle dire inizialmente «misura», nozione espressa in greco da *lógos*, una parola che nell'uso greco sia comune sia filosofico aveva anche i più complessi sensi di «pensiero, ragionamento, ragione», che anche *ratio*, da un certo punto in poi, ricalca, assorbe e fa propri.

Sono soprattutto gli esotismi non adattati la categoria di lessemi che suscita allarmi e preoccupazioni nei **puristi** di ogni epoca e tempo, che vorrebbero eliminare ogni parola d'origine esotica. Ma gli esotismi non adattati in uso nelle varie lingue sono una percentuale solo assai modesta della massa dei vocaboli ereditari di ciascuna lingua e dei grandi fiumi di parole che nascono come prestiti adattati o come calchi.

Ma se non si bada solo a quel che irrita i puristi, se si guarda all'intera massa lessicale delle lingue, l'interscambio linguistico è continuo, è enorme. Si pensi che in una lingua come l'inglese solo il 10% del lessico d'oggi è costituito da parole ereditarie del germanico, il resto, a parte una percentuale di neoformazioni (circa 30%), è dato da parole di origine latina, francolatina, francese e, in misura non trascurabile, anche italiana. Anche il vocabolario latino è solo in parte minore fatto di parole direttamente ereditate dall'indoeuropeo, ed è intriso di grecismi, umbrismi e di parole tratte dall'etrusco e dal sommerso sostrato mediterraneo. Come scrisse un grande linguista dell'Ottocento, Hugo Schuchardt, ogni lingua è una *Mischsprache*, una lingua bastarda. Ma torniamo al numero di lessemi esistenti in una lingua.

Specialmente le lingue di lunga tradizione parlata e scritta, usate da comunità linguistiche complesse con un consistente strato di persone di alto livello di istruzione, posseggono masse di lessemi difficili da stimare con precisione in ragione anzitutto del loro numero e, poi, in ragione di quella continua espansibilità del lessico illustrata nel capitolo precedente.

Secondo una stima, sono oltre due milioni i lessemi documentatamente presenti in testi scritti inglesi e altrettanti i loro corrispondenti francesi. Di questi soltanto una parte assai ridotta è presente in dizionari e altre fonti lessicografiche su carta, anche le più vaste e accurate. Il dizionario su carta per ora in assoluto più ampio, che documenta nove secoli di storia del lessico di una grande lingua europea di cultura, l'*Oxford English Dictionary*, registra 550.000 lemmi. Il confratello, specialmente ricco per l'American English, il *Webster's Third International Dictionary* registra a lemma, tra lessemi semplici e lessemi complessi appositamente lemmatizzati, poco meno di 400.000 lessemi. Per il più modesto sviluppo degli spogli lessicografici sistematici, per il lungo predominio di tradizioni puristiche e di attenzione dominante per i soli testi letterari, le fonti lessicografiche italiane registrano un numero ancora inferiore di lessemi: circa 210.000 (quando sarà ultimato) il *Grande dizionario della lingua italiana* di Salvatore Battaglia, circa 140.000 il *Dizionario enciclopedico italiano* dell'Istituto dell'Enciclopedia italiana e 150.000 gli aggiornamenti successivi pubblicati con vario titolo e formato dallo stesso Istituto. È ora (1998) di imminente uscita un *Grande dizionario italiano dell'uso* (in sigla *Gradit*) che, pur registrando prevalentemente solo il lessico d'uso del Novecento, raggiunge i 250.000 lemmi, cui si aggiungono circa 100.000 lemmi polirematici.

Dizionari minori, per famiglie e persone colte, derivati dai maggiori, registrano a lemma circa 100.000 lessemi, quelli che hanno, come si dice nel gergo lessicografico, una maggiore **cercabilità**, ossia non sono usati solo in testi arcaici di minor conto o in scritti letterari o specialistici o in ambiti assai limitati, ma sono tali da poter capitare dinanzi e creare imbarazzo a un normale parlante o leggente di buona cultura e varia esperienza.

Anche questa cifra, tanto più ridotta dei due milioni di lemmi da cui eravamo partiti, supera di parecchio le capacità di riconoscimento sicuro del valore dei lessemi proprie di un parlante colto. Un italiano colto (e giovane, con memoria ancora vigile) conosce (e capisce) tra 60.000 e 80.000 vocaboli presenti in un vocabolario di circa 100.000 lemmi. Naturalmente non sono gli stessi 60-80.000 per tutti. Persone colte, a seconda dei loro studi speciali (letteratura o matematica, biologia o medicina, diritto o economia), e del resto anche persone meno istruite con particolari esperienze di lavoro (ottico o meccanico, zootecnico o contadino, tipografo o ferroviere ecc.) o con speciali provenienze e frequentazioni socioregionali (palermitani o veneziani, tifosi di calcio o di ippica o melomani o astrofili), conoscono centinaia e migliaia di vocaboli molto usuali in un ambito speciale, ma meno noti a chi di quell'ambito non ha pratica: *monoide*, ovvio per il matematico, è lessema ignoto a chi matematico non è; *muone* o *barione*, chiari per i fisici, sono opachi per gli altri; *prosopografia* o *esapla*, chiari per filologi, sono sconosciuti per altri; quasi solo falegnami e mobilieri capiscono *mortasa*, *pallet* è chiaro ai magazzinieri, *pagolino* ai pescatori del Tirreno, *spritz* ai veneti e triestini, *carnezzeria* ai siciliani, *pallo-netto* ai napoletani, *azimut* agli astrofili ecc. Questi, e le altre centinaia di migliaia di vocaboli noti soltanto a lo-cutori altamente specializzati in un ambito, costituisco-no i **vocabolari speciali** propri ciascuno di un linguag-gio tecnico-specialistico o settoriale.

Vocaboli che possano essere compresi e usati otti-mamente indipendentemente dagli studi e dalla profes-sione del locutore costituiscono il **vocabolario comune** di una lingua: per grandi lingue di cultura, si tratta di un insieme variabile fra le trenta e le cinquantamila parole.

Abbiamo visto prima come la massa lessicale si stra-tifichi dal punto di vista della sua composizione etimo-logica. Stiamo vedendo ora che essa comincia così a de-linearsi nella sua struttura o, meglio, nella sua stratifica-zione dal punto di vista dell'uso che ne sanno fare e ne fanno i locutori. Intorno vi è un'immensa periferia, una **chioma**, come negli astri, costituita da centinaia di mi-gliaia di lessemi rarissimi: **parole occasionali**, coniate e usate da qualcuno per una volta, *hápax legómena*, pre-senti solo una volta in testi significativi (*borno* in Dante), termini rari di linguaggi scientifici altamente specialisti-ci. Più verso il centro, vi è la vasta fascia dei vocaboli di uso meno raro e maggiore cercabilità: le decine e decine di migliaia di lessemi che, anche se non comuni, sono re-gistrati in vocabolari di circa centomila lemmi. Come molti della chioma, anche quelli di questa fascia appar-tengono ai **linguaggi settoriali** e/o **regionali**. Al centro di questa fascia, stanno i trenta, cinquantamila lessemi del vocabolario comune, compresi e usati da persone di buon livello di istruzione, indipendentemente dalle esperienze di studio e lavoro.

La **statistica linguistica** studia la **frequenza** con cui i lessemi occorrono in testi e discorsi, la loro **dispersione** nelle diverse categorie di testi di varia natura e argomento e, quindi, il loro **uso** (prodotto della frequenza per la dispersione). Essa ci aiuta a penetrare nel vocabolario comune e a delinearne ulteriormente la struttura. Nel far ciò ci aiutano anche gli apporti della **psicolinguistica** (che studia tra l'altro le potenzialità linguistiche individuali e il **lessico mentale**, saputo, ma non necessariamente usato) e la **educazione linguistica** o **linguistica educazionale** (che studia, tra l'altro, le correlazioni tra livelli d'età, d'istruzione e di conoscenze e uso della lingua).

Grazie a questi diversi apporti, ricaviamo che il vocabolario comune è a sua volta composto. Vi è di nuovo una fascia più esterna, di lessemi di uso più sofisticato, che racchiude un nucleo di lessemi di maggior frequenza, più largamente noti: è il **vocabolario corrente**.

Entro il vocabolario corrente si colloca il **vocabolario di base** di una lingua. Esso include, al suo centro:

1. il **vocabolario fondamentale**, cioè l'insieme di quei lessemi (tipo *a*, *di*, *il*, *faccia*, *andare*) che, ricorrendo ciascuno con grandissima frequenza in tutti i discorsi, coprono in media più del 90% di qualunque testo, fino al 94 o 95% dei testi più semplici e, come limite inferiore, intorno all'80% dei testi specialistici; in italiano si tratta d'un insieme di circa 2.000 lessemi; essi sono largamente noti a qualunque locutore della comunità italiana con istruzione almeno elementare e, naturalmente, sono ben noti anche a chi ha un più alto livello di istruzione; in complesso, dunque, in Italia sono noti a circa il 90% della popolazione;

2. il **vocabolario di alta frequenza**, che è l'insieme dei lessemi (tipo *bensì*, *viso*, *recarsi*) che coprono all'incirca un altro 6-8% dei testi e discorsi: in italiano sono circa 3.000 lessemi; in lingue in cui l'uso è da secoli più

sorvegliato e asciutto, come in inglese e francese, l'insieme equivalente è numericamente più modesto; sono noti a chi ha livelli almeno medi di istruzione e dunque, in Italia, a circa il 50% della popolazione;

3. il **vocabolario di alta disponibilità** o **familiarità**: si tratta di quei vocaboli che, dalle indagini psicolinguistiche e sociolinguistiche sui giudizi che ne danno i parlanti, appaiono a questi di frequenza pari o superiore ai lessemi della seconda e anche della prima categoria, ma che, in realtà, risultano usati esofasicamente con bassissima frequenza, come per esempio *coperchio* o *furgone*, *garza* o *pantofola*: magari ci passano continuamente per la mente, perché legati a oggetti e atti della vita quotidiana, ma proprio per ciò non abbiamo bisogno di usarli nel parlato e nello scritto: nello scritto si riferiscono a cose troppo banali e quotidiane perché se ne debba trattare, e nel parlare li sostituiamo facilmente con dimostrativi o con cenni; li usiamo e ci servono solo quando è strategico e a volte addirittura vitale saperli dire e capire.

La stratificazione statistica del lessico è correlata in modo significativo con la forma sia del significante sia del significato dei lessemi. In media, le parole del vocabolario fondamentale sono assai più brevi delle parole soltanto comuni, e queste più brevi delle parole della fascia tecnico-specialistica. Più precisamente si constata in tutte le lingue che al crescere della frequenza secondo i quadrati decresce, secondo gli interi naturali, la lunghezza dei lessemi, misurata sia in sillabe sia in fonemi o lettere. Per questo motivo per renderci conto se un testo adopera parole più o meno frequenti basta esaminare la lunghezza media delle parole che lo compongono.

Anche il significato è correlato alla frequenza come vedremo meglio nel cap. 10.

Capitolo nono

Dal lessema alla frase, all'enunciato: la semantica

Non parliamo per lemmi di un vocabolario (se non in condizioni eccezionali), ma parliamo in generale per lessemi calati in forme grammaticali appropriate alla frase o, meglio, al **segno linguistico**, che realizziamo con un enunciato o ricostruiamo ascoltando o leggendo un enunciato altrui. Questo nostro asserto richiede una serie di precisazioni.

1. Anzitutto, parlare per lemmi: lo fa, talora, chi, straniero, non conosce ancora bene una lingua e per farsi intendere enuncia i vocaboli di cui ha memoria e notizia; lo si fa, talora, nell'endofasia. Di norma, i locutori di una lingua (che non sia una **lingua isolante**) piegano i lessemi alle esigenze del segno da realizzare per esprimersi.

2. Un lessema isolato, purché adeguatamente grammaticalizzato, dunque purché sia una parola, può costituire da solo una frase perfettamente rispondente alle esigenze dell'enunciato, di ciò che vogliamo dire o crediamo di capire: *Andiamo!*, *Corri?*, *Guarda!*, *Ascoltami*, *Vediamo*, *Penso*; ma anche, senza ricorso a verbi, *Aiuto!*, *Attento!*, *Qui*, *Dove?*, *Là*, *Tu!*, *Uscita*. Si apre qui una

questione complessa, che divide i linguisti: in questa seconda serie di lessemi-enunciato abbiamo o no a che fare con frasi?

3. Lasciamo a trattazioni più complesse un'adeguata risposta alla domanda ora fatta. Qui, dopo aver segnalato la questione, ci si può limitare ad adottare una distinzione terminologica e concettuale, del resto ben presente nella letteratura specialistica da Saussure in poi. Chiameremo **segno linguistico** ogni lessema o aggregato di lessemi che, rispondendo alle regole grammaticali di una lingua, sia adeguato alle esigenze di produzione e comprensione degli enunciati, anche se – si noti – in essi non è presente una predicazione, né esplicita in superficie né plausibilmente postulabile come sottintesa. *Uscita*; *Entrata*; *20 agosto 1997*; *Hotel*; *Stanza con bagno* ecc. sono alcuni esempi, aggiunti a quelli dati al punto 2, di segni linguistici non predicativi. Indicazioni di ogni tipo vengono enunciate e comprese attraverso segni del genere. Chiameremo invece **frase** il segno linguistico **predicativo** (cfr. oltre cap. 11).

4. Ciascun segno linguistico non predicativo e ciascuna frase sono suscettibili di un numero illimitato di repliche e realizzazioni. Chiamiamo **enunciato** il risultato della realizzazione parlata o scritta di un segno o d'una frase. La realizzazione stessa viene detta enunciazione o, col tecnicismo francese d'origine saussuriana, **parole** (cioè, a un di presso, «espressione») o, ancora, con un tecnicismo di origine inglese, **atto linguistico** o **speech act**. Nella teoria generativa la realizzazione è detta **esecuzione**.

Nell'enunciato la realizzazione del significante è data dalle concrete fonie o grafie che produciamo o percepiamo, dagli **utterances**, «esternazioni» come era d'uso dire nella teoria linguistica americana prima di

Chomsky. A sua volta il significato si concreta nel **senso**, in ciò che vogliamo che sia detto ovvero capiamo che è detto da un enunciato.

5. Non tutta la linguistica opera con la distinzione tra **significato** (regola generale d'attribuzione di sensi a un segno linguistico o a una frase) e **senso** (concretizzazione particolare del significato in una particolare enunciazione). I motivi della mancata utilizzazione sono complessi. Alcuni ritengono che lo studio dell'esecuzione, della *parole* non sia compito della linguistica e quindi non si occupano del concretizzarsi del significato in sensi. Altri pare che pensino che il senso consegua in modo necessario dal significato e che basti lo studio di questo, del significato, per dare conto dei sensi e tipi di senso che lo concretano. Gli uni e gli altri, quindi, non avvertono il bisogno di una coppia terminologica, e usano perciò solo *significato* o *senso* in italiano, *sens* in francese, *meaning* in inglese.

In questa trattazione elementare pare opportuno dare conto di tale distinzione e utilizzarla, così come fu proposto e fatto, a loro tempo, dal logico tedesco Gottlob Frege (che distingueva tra *Sinn*, che noi qui diciamo «significato», e *Bedeutung*, che noi qui diciamo «senso» o, anche, «riferimento»), da Ferdinand de Saussure, dal semiologo argentino Luís Prieto (tra i più acuti esploratori teorici delle relazioni tra significato e sensi), e come pare richiedere lo studio degli **speech acts**.

6. L'alto numero di precisazioni che siamo venuti facendo e i cenni (pur limitati, dato il carattere della trattazione, e tuttavia indispensabili) a diversità teoriche e terminologico-concettuali, dicono già da sé che tutta la materia del significato e del senso è materia problematica e problematico è il settore della linguistica (e della

logica) che se ne occupa: la **semantica**. Si tratta di una problematicità per dir così intrinseca.

Certamente, come si è detto, abbiamo ragioni per istituire un parallelismo tra il significante (di frase, lessema, morfo) e le sue realizzazioni concrete (fonie, grafie), da un lato, e, dall'altro lato, il significato (di frase, lessema, morfo) e le sue realizzazioni concrete, i suoi sensi. Questo parallelismo ha spinto la linguistica (e la logica) a più riprese sulla via del tentare analisi del significato analoghe a quelle del significante. Alcuni hanno postulato unità semantiche minime segmentali e soprasegmentali, dette **noemi**, da trattare a loro volta, alla stregua dei fonemi, come classi definite e individuate da tratti distintivi pertinenti. Altri hanno più direttamente cercato i **tratti pertinenti semantici** che differenziano il significato di una parola da quello di un'altra. Così, ad esempio, i significati delle parole *uomo, donna, bambino, bambina, toro, vacca, vitello, vaccina* si possono considerare come combinazioni dei tratti elencati in orizzontale nella seguente matrice:

	umano	bovino	adulto	maschio
uomo	+	−	+	+
donna	+	−	+	−
bambino	+	−	−	+
bambina	+	−	−	−
toro	−	+	+	+
vacca	−	+	+	−
vitello	−	+	−	+
vaccina	−	+	−	−

Frammenti di analisi del genere lasciano intravedere due vantaggi: *a*) ridurre il fluttuante mondo dei significati lessicali a una combinatoria di tratti studiabile con i criteri utilizzati con successo nell'analisi del significante; *b*) di conseguenza, ridurre, come nell'esempio citato, un alto numero di lessemi (otto, nell'esempio) a un più ridotto numero di tratti pertinenti (quattro, nell'esempio). A più riprese, e sui versanti teorici più diversi, si è anche vagheggiato un terzo progetto: quello di arrivare a costituire una lista di tratti semantici universali, una sorta di International Semantic Alphabet, parallelo all'IPA, e capace di dar conto della immensa varietà dei vocabolari delle lingue.

7. Questi tentativi si sono scontrati con alcuni aspetti intrinseci del significato. *a*) Diversamente dal significante, analizzabile in morfi rianalizzabili in fonemi, il significato è analizzabile soltanto in significati di morfi. *b*) Diversamente dai fonemi, di numero limitato, i morfi e, quindi, i significati dei morfi sono di numero illimitato. *c*) I tratti distintivi dei fonemi non sono essi stessi fonemi: sono entità d'altro ordine, di numero finito, che definiscono i fonemi e sono definiti dalla fonetica e dall'acustica; invece i presunti tratti distintivi dei lessemi sono essi stessi parole (*umano*, *bovino*, *adulto* ecc., nel nostro esempio) e, come tali, abbisognano essi stessi di essere definiti da tratti pertinenti che sono di nuovo parole, in una fuga senza fine che aggiunge di continuo tratti alla lista di tratti rendendola irrimediabilmente una lista aperta, tal quale la serie di lessemi d'una lingua.

Questi tentativi, tuttavia, hanno concorso a fare intendere che il significato non ha lo stesso tipo di organizzazione del significante e abbisogna di analisi diverse da quelle della fonologia. Riprenderemo più oltre l'analisi dei significati lessicali, e ricolleghiamoci ora al filo di discorso annunciato all'inizio del capitolo e sviluppato nei punti da 1 a 6.

8. Il significato di un segno linguistico o d'una frase regola, come abbiamo detto, i sensi con cui l'uno o l'altra possono realizzarsi. Tuttavia i sensi non sono mere realizzazioni del significato. Essi risultano da una interazione complessa tra i locutori, la situazione d'uso del segno o frase e il significato di tale segno o frase. Una stessa frase, dunque una frase con uno stesso significato, ammette di determinarsi in tipi di sensi profondamente diversi a seconda della situazione enunciativa, costituita dal **contesto situazionale**, cioè dalle circostanze in presenza, e dalla **pragmatica**, cioè dalla strumentalità o finalità con cui e per cui la frase è realizzata e compresa.

Esaminiamo una frase assai semplice: *C'è una porta aperta, qui*. Come ognuno può facilmente osservare questa frase può essere detta (i') da un muratore o da un architetto che constata, su una pianta, l'esistenza d'un vano porta; (i'') da qualcuno che entra o sta in una stanza e fa una constatazione a proposito d'una porta col battente aperto; (i''') da qualcuno che sta in una stanza con altri, che lo ospitano, e ha freddo e suggerisce molto educatamente che, forse, si potrebbe chiudere una porta.

Nel caso (i') una frase con senso equivalente può essere (i'a) *La struttura muraria presenta una discontinuità adatta a inserirvi gli stipiti e i battenti di una porta*; oppure (i'b) *La struttura muraria presenta una discontinuità in cui è stata inserita la struttura portante d'una porta*. In (i'') la (i) può essere sostituita da (i''a) *L'uscio è aperto*. In (i''') la (i) può sostituirsi con (i'''a): *Gentili signori, ho freddo, sono reduce da un'influenza, qui c'è un po' di corrente, sono italiano e presagisco quelli che in italiano si chiamano colpi d'aria; tutto ciò considerato, vi di-*

*spiacerebbe se chiudo quella porta aperta ovvero vi inco-
moda troppo farlo voi stessi?*

Ognuno vede che (i'), (i''), (i'''), e altre che possono
immaginarsi mutando circostanze e pragmatica, non sono tra loro equivalenti. E tuttavia, in date circostanze,
ciascuna è equivalente alla (i).

9. Introduciamo ora due nozioni chiave della semantica. Anzitutto la nozione di **sinonimia**. Diciamo **sinonimi** due segni, frasi, lessemi che, in determinate circostanze e per determinati locutori, sono suscettibili di
individuare (trasmettere, circoscrivere, vedersi attribuire) uno stesso senso: possiamo trasmettere a volte uno
stesso senso con *auto*, *vettura* e *macchina*, con *pranzare*,
sedersi a tavola e *mangiare*. Complementare alla sinonimia è la **eteronimia** o **polisemia**: sono **eteronime** o **po-
liseme** le frasi e le parole che ammettono famiglie di
sensi ciascuna veicolabile da una frase o da un segno diverso previsto dalla lingua: *determinare* è una parola po-
lisema perché delle volte equivale a *precisare*, delle altre
volte a *produrre*, delle altre volte ancora a *decidere* o a
misurare, quattro verbi che ben di rado tra loro sono sinonimi.

Per i locutori, le infinite frasi e gli infiniti segni d'u-
na lingua sono altrettanti strumenti per esplorare le innumeri possibilità di sinonimia e, correlativamente, di
polisemia, per portare alla luce della coscienza i sensi innumeri e gli intrecci di senso che intessono le nostre
esperienze. Al linguista e alla semantica linguistica tocca il compito di determinare le condizioni linguistiche
di possibilità di questo gioco vitale per gli esseri umani.

Capitolo decimo

Il significato lessicale

La radice della sinonimia di segni e frasi diversi per significante e, cioè, per composizione in morfi, e della correlativa eteronimia d'uno stesso segno o d'una stessa frase sta, senza dubbio, nella capacità o attività verbale dei locutori di una comunità. Ma lo strumento, la cellula prima che consente ai segni e alle frasi della lingua la loro imprevedibile sinonimicità ed eteronimicità è la **plasticità** del significato di ciascun morfo, la sua **estensibilità** in rapporto all'uso che ne fa il locutore in determinate situazioni enunciative (cap. 9, punti 8 e 9).

La imprevedibilità della sinonimia e, quindi, della polisemia di ciascun segno o di ciascuna frase poggia sulla imprevedibilità della sinonimia e della polisemia di ciascun morfo e lessema, su quella che abbiamo detto la estensibilità della sinonimia e della polisemia del significato dei morfi e dei lessemi.

Dobbiamo rendere qui esplicita una questione di metodo che è anche una questione teorica di fondo. In che modo è possibile dare conto di quella che abbiamo detto **estensibilità** del significato? La risposta di fatto è già data dagli esempi e dalle considerazioni svolte. La polisemia è la presenza di più famiglie di sensi attribuiti a un morfo. Rivelatori e rilevatori di tali diverse famiglie sono le diverse serie di costrutti, morfi, lessemi sinonimi. Chiameremo **accezione** ciascuna famiglia di sensi. Diciamo dunque che per discernere e descrivere le diverse accezioni d'un morfo la **semantica lessicale** o **lessicologia** ne evidenzia i diversi sinonimi e le spiega (come più o meno felicemente avviene nei vocabolari e nelle grammatiche usuali) offrendone equivalenti sinonimici.

Ma non si deve eludere la questione teorica di fondo. Sono possibili altri modi per dare conto del significato di morfi, lessemi, segni, frasi? Vi sono, oltre i sinonimi offerti dalla lingua stessa, altri rivelatori e rilevatori della semantica lessicale?

Si può dare una risposta parzialmente positiva a questa domanda. Due rami della linguistica si occupano sistematicamente del confronto di significati dei morfi e lessemi di lingue diverse: la **linguistica contrastiva**, che svolge questo confronto guardando soprattutto alle lingue nella loro potenzialità per dir così statica; e la **traduttologia**, che svolge il confronto guardando soprattutto alle strutture calate in testi ed enunciati. Già dalla tarda antichità, e sempre più in età moderna, gli studi traduttologici hanno messo a confronto le difficoltà e, però, anche le possibilità di trovare i **traducenti**, cioè espressioni equivalenti a partire dai testi di un **source language**, d'una **lingua di partenza**, nei testi ed enunciati di un **target language**, **lingua d'arrivo**. Queste analisi hanno aiutato a sceverare accezioni diverse d'un lessema attraverso la diversità dei traducenti in una lingua d'arrivo: un italiano si rende conto che *gola* in senso anatomico ha due accezioni diverse, quando le vede tradotte in tedesco ora con *Hals* ora con *Rachen* o *Kehle*;

e un tedesco capisce che *Hals* ha due accezioni quando si accorge che in italiano i traducenti sono ora *collo* ora *gola*. Così una parola come il greco *lógos* ha cominciato a svelare la molteplicità delle sue accezioni attraverso la varietà dei suoi traducenti già nel latino classico: *sermo*, *calculus*, *ratio*, *verbum*, *mensura*.

In modo simile ci rendiamo conto delle valenze di una categoria grammaticale: per esempio, ci accorgiamo che l'imperfetto e il passato remoto dell'italiano (e di altre lingue romanze) sono resi da un'unica forma di passato in inglese e tedesco. Una seconda lingua ci aiuta a descrivere i significati di una prima.

In casi del genere diciamo che la seconda lingua (il latino rispetto al greco, l'italiano rispetto a inglese e tedesco) è adoperata come **metalingua** (o **metalinguaggio**) che descrive la prima, che è in tali casi la **lingua oggetto**.

Ma la principale fonte di esplorazione del significato di un morfo è e resta la **rete sinonimica** che con quel morfo si stabilisce entro la lingua stessa. Ogni lingua è la migliore e più usuale metalingua di se stessa. Si dice **metalingua riflessiva** quella che funge da metalingua di se stessa. Se e quando un morfo è adoperato per designare se stesso, diciamo che è adoperato in una **funzione metalinguistica riflessiva**. Nelle normali interazioni tra parlanti (a cominciare da quelle tra madre o padre e bambino), nelle discussioni, nell'informazione corrente parlata e scritta, nella scuola, nei linguaggi tecnici scientifici, nel diritto e nella giurisprudenza, è continuo il ricorso alla funzione metalinguistica riflessiva per introdurre e spiegare nuove parole, per chiederne o verificarne le possibili accezioni.

Specialmente in materia di semantica, il linguista non può che andare a scuola dai locutori: egli non fa che ordinare, precisare e verificare le considerazioni meta-linguistiche riflessive con cui naturalmente i parlanti ordinano, riordinano e chiariscono a se stessi le relazioni di significato tra le parole.

Vedremo tra breve, in dettaglio, quali sono tali relazioni, ma esaminiamo prima le articolazioni in accezioni del significato dei morfi.

Tali accezioni si presentano in generale collegate tra loro da **rapporti di similarità** di qualche tratto semantico.

In alcuni casi si ha un **ordinamento gerarchico**, in altri casi si ha un **collegamento metaforico** o **metonimico**.

Si ha un ordinamento gerarchico quando tutte le accezioni si rivelano varianti di una accezione fondamentale comune (in tedesco **Grundbedeutung**): per esempio in *prossimo* distinguiamo un'accezione spaziale, una temporale, una socioparentale, tutte attraversate, per dir così, dal tratto «il più vicino». In altri casi, un'accezione appare estensione metaforica o metonimica di una prima: *padrone di qualcosa* nel senso di «molto esperto» è un'estensione metaforica dell'accezione «proprietario, boss». Invece *focolare* nel senso di «abitazione» è una estensione metonimica dell'accezione «luogo in cui si accende il fuoco e si cucina».

Parliamo di **metafora** quando in un referente R_2 viene colto un aspetto, un tratto simile a quello già individuato in $R_1 \neq R_2$ dal significato di un morfo M: in forza di tali similarità ci si riferisce a R_2 con il morfo M. Se tale estensione si stabilizza nell'uso e se la diversità tra R_1 ed R_2 appare per altri aspetti irriducibile, il significato di M si articola in due accezioni di cui la seconda è una estensione metaforica della prima. Così in italiano un verbo come *fiutare* ha un'accezione per cui è sinonimo di «inspirare percependo un odore» e, come fanno i cani più abili, «orientarsi prontamente in base a ciò». A questa accezione si collega l'uso metaforico di *fiutare* per dire cosa equivalente a «capire prontamente di che si tratta, come muoversi in una circostanza». La grande diffusione dell'uso metaforico fa sì che in italiano il verbo *fiutare* abbia ormai due accezioni: 1) «inspirare» e 2), collegata metaforicamente a 1), «capire prontamente».

Parliamo di **metonimia** nei casi in cui tra un referente R_1 e un morfo M vi è relazione di contiguità, abituale o sul momento evidente, tale che il morfo, il cui significato iniziale o abituale non include tra i suoi sensi il riferimento a R_1, si usa anche includendo R_1 tra i suoi referenti. L'annunciatore televisivo che dice *Ora cediamo la linea allo sport*, per dire *Ora cediamo la linea alla redazione che si occupa di sport*, o il cameriere che dice all'altro *Gli spaghetti del tre vogliono il formaggio*, per dire *I clienti seduti al tavolo numero tre che hanno ordinato gli spaghetti vogliono il formaggio*, realizzano metonimie occasionali. Come i sensi metaforici, anche quelli sinonimici possono trasformarsi in accezioni stabili della parola: *sportello* per «sede di una banca», *penna* per «scrittura», *forchetta* per «mangione» sono altrettanti esempi di metonimie stabilizzate.

Non sempre la relazione di sinonimia è simmetrica: possiamo considerare sinonimi simmetrici *gatto* e *micio*, ma tra *gatto* e *felino* il rapporto sinonimico si configura come un rapporto di subordinazione del significato di *gatto*, che in tal caso viene detto **iponimo**, alla parola di significato più generale, detta **iperonimo**, mentre gli altri iponimi di *felino* (*tigre*, *leone*, *ghepardo*, *leopardo* ecc.) sono detti tra loro, *gatto* compreso, **coiponimi**.

L'articolarsi del significato lessicale in accezioni molteplici fa sì che uno stesso lessema stabilisca relazioni di sinonimia, iperonimia, iponimia, con più serie diverse di lessemi. Ad esempio, *accendere* è sinonimo da un lato di *bruciare, appiccare il fuoco*, dall'altro di *mettere in funzione, avviare*.

Una relazione importante tra i significati è quella **polare** o di **antonimia**, che sussiste tra *alto* e *basso*, *buono* e *cattivo*, *bianco* e *nero*.

Il dilatarsi del numero di accezioni di un lessema è legato alla sua frequenza d'uso. Più un lessema è di uso frequente, maggiore è il numero di accezioni. Constatiamo qui, come già a proposito del significante (cap. 8), che fatti esterni, fatti di *parole*, di esecuzione, intaccano la forma linguistica. Il numero delle accezioni di una parola cresce di un'unità quando la frequenza d'uso cresce di uno, secondo una scala logaritmica: per esempio, se, dato un campionamento dei testi di una lingua e calcolata la frequenza con cui vi occorrono i lessemi, troviamo che i lessemi di frequenza 10 hanno una accezione, quelli con due accezioni si troveranno tra i lessemi con frequenza 100, i lessemi con frequenza 1000 avranno tre accezioni, i lessemi con frequenza 10.000 avranno quattro accezioni ecc.

La frequenza d'uso ha effetto anche sull'**agglutinazione** (fusione) di lessemi. La frequente contiguità sintagmatica di due morfi in una certa fase linguistica ne provoca in diacronia la fusione, anche fonologica, dando luogo a un terzo e nuovo morfo con un significante e significato autonomo: così in italiano abbiamo *ancora* da *anche ora*, *tuttavia* e *tuttora* da *tutto*, *via* ed *ora* ecc. Una sorta di agglutinazione puramente semantica è la formazione di **lessemi complessi** o (**locuzioni**) **polirematiche**, cui abbiamo già accennato nel cap. 7: in condizioni di frequente contiguità, e ciò talora anche solo entro l'ambito di linguaggi tecnico-specialistici, due o più lessemi, anche per effetto di estensioni metaforiche e metonimiche, danno luogo a una locuzione che affianca l'uso sciolto, non polirematico delle singole parole e il cui significato complessivo non è ricavabile dal significato dei singoli lessemi, come i già ricordati *essere al verde*, *vedere rosso*, *dare spago* ecc.

Si osservi che metaforicità e metonimicità non sono una condizione necessaria al formarsi di polirematiche. Specialmente nei linguaggi tecnici si costituiscono polirematiche in cui i lessemi costituenti sono adoperati senza speciali estensioni metaforiche o metonimiche, ma, caso mai, con vincoli restrittivi di riferimento a speciali categorie di referenti oggettivi: per esempio, locuzioni come *particella elementare* in fisica, *soffitto a cassettoni* in architettura, *lessema complesso* in linguistica. Ciò avviene anche nell'uso corrente, non specialistico, per una categoria speciale di polirematiche come *fare le corna*, *strizzare l'occhio*, *tirare le orecchie a qualcuno*. Esse descrivono con molta proprietà un atto, un gesto, e proprio in quanto tali, proprio per la loro non metaforicità e aderenza all'atto, si caricano anche di quelle valenze simboliche che nella cultura etnoantropologica di una comunità sono annesse al gesto stesso: così *strizzare l'occhio a qualcuno* vale «cercare la complicità di qualcuno», *tirare le orecchie a qualcuno* «rimproverare qualcuno».

Capitolo undicesimo

Tipi di segni linguistici e frasi, strutture superficiali e profonde: la sintassi

Come abbiamo già detto (cap. 9), chiamiamo **segno linguistico** ogni lessema o aggregato di lessemi che, rispondendo alle regole grammaticali di una lingua, sia adeguato alle esigenze di produzione e comprensione degli enunciati, anche se – si noti – in essi non è presente una predicazione, né esplicita in superficie né plausibilmente postulabile come sottintesa. Chiamiamo invece **frase** ogni segno linguistico **predicativo**. Come suggerisce l'etimologia della parola latina *praedicatum*, ricalcata sul greco *kategórema*, predicare significa dire o, meglio, attribuire un detto, qualcosa che si dice, a qualche altra parola o cosa. In generale, nelle lingue che conoscono la distinzione tra **nome** (sostantivi, aggettivi, pronomi) e **verbo**, la predicazione è affidata essenzialmente ai verbi e alle parole che ne dipendono. Il sintagma verbale (SV) è quindi in generale il portatore della predicazione e coincide col sintagma predicativo (SPre) attribuito al sintagma nominale (SN) che fa da soggetto della predicazione. Nella teoria linguistica generativa si è assunto che questa appunto sia la forma canonica della frase:

$$F \rightarrow SN + SV$$

dove F vale «frase», il simbolo → vale «riscrivi come» e il simbolo + indica il nesso predicativo.

Tuttavia in diverse lingue, in alcune come obbligo, a certe condizioni (per es., in russo), in altre, tra le quali l'italiano (ma anche greco classico, latino, inglese ecc.), come possibilità, SV è sostituibile da un sintagma solo nominale con funzione predicativa, che possiamo simboleggiare con SNPre: in italiano ciò è frequente in frasi esclamative (*Bella questa!*, *Furbo lui!*, *Voi qui!*), ma anche descrittive (*Giovedì gnocchi, venerdì baccalà, sabato trippa*; *Nebbie in Val Padana durante la notte*), o in testi di istruzioni (*Altre informazioni sul retro della bolletta*), ma anche letterari e poetici: *Proprio sotto la pergola, mangiata la cena* (Pavese, *La cena triste*, v. 1). In alcuni casi si può postulare la presenza di un verbo *essere* «profondo», ma in altri l'operazione è improbabile e artificiosa. Occorre ammettere che si hanno **frasi nominali**, dette anche **frasi a verbo zero**. Se si accettano come normali anche le frasi nominali, la forma canonica delle frasi sarà:

$$F \rightarrow SN + SPre$$
$$SPre \rightarrow SNPre/SV$$

dove SNPre indica l'eventuale sintagma nominale con funzione predicativa e la barra obliqua la possibile opzione tra SNPre e il sintagma verbale.

Segni e frasi di una lingua, come fu riconosciuto già da Wilhelm von Humboldt e Ferdinand de Saussure, ed è stato vigorosamente affermato da Noam Chomsky, sono di numero potenzialmente infinito. Di per sé già i lessemi, stante la presenza di un meccanismo formativo combinatorio tra morfi lessicali, formanti e morfi grammaticali, sono un insieme illimitato. Ma anche in una ipotetica lingua a numero limitato di lessemi, i segni e le frasi sono di numero potenzialmente infinito poiché rispondono al requisito di ammettere sempre, data una frase o dato un segno lungo a piacere, l'aggiunta significativa di un altro lessema, di un'altra proposizione incidentale, d'un'altra proposizione relativa ecc. È a questa condizione che diciamo potenzialmente infiniti i numeri o le addizioni ecc. Dunque la pur fondamentale proprietà di rendere costituibili e comprensibili segni e frasi di numero potenzialmente infinito, come risulta dagli esempi analoghi fatti (i numeri, le operazioni dell'aritmetica), non è specifica delle lingue, ma appartiene anche ai sistemi di numerazione, ai calcoli aritmetici e algebrici e più in generale a ogni combinatoria in cui, dato $D'=n^k$, per qualunque k sia sempre possibile k+1.

È intuitivo che le innumerevoli, anzi infinite frasi di ciascuna lingua si presentano in un enorme numero di forme diverse. Chiamiamo tradizionalmente **sintassi** di una lingua lo studio delle regole secondo cui le parole si combinano tra loro per dare luogo a una delle innumerevoli forme di frase. Da questa nozione più semplice è possibile passare a una nozione più forte di sintassi, se la definiamo come l'insieme di regole che riconducono le forme diverse di frasi alla forma canonica anzidetta, e ciò sia per il parlante che interpreta e comprende le singole frasi, sia per il parlante che le produce, sia, infine, per il linguista che le analizza. L'operazione o, meglio, il processo per cui, con un numero finito di regole, vengono comprese, prodotte o analizzate le singole frasi a partire dalla loro forma canonica si dice **generazione** delle frasi, con un termine tratto dalla geometria analitica in cui si dice appunto che una certa equazione **genera** (cioè descrive e analizza nella sua struttura) infinite rette o curve diverse a mano a mano che cambiano i valori numerici delle sue variabili.

Nella sintassi tradizionale le regole della sintassi si raggruppano partendo dalle parole o, meglio, dalle classi di parole o *partes orationis* individuate in una lingua. Così, in una lingua come l'italiano, si cercano e si enumerano le regole della sintassi dell'articolo, dei nomi, degli aggettivi, del verbo, delle preposizioni ecc. In una sintassi **generativa**, invece, le regole sono **ordinate** a seconda del posto che ad esse tocca nel processo di **generazione** delle frasi. Facciamo qualche esempio semplificato e schematizzato di insieme ordinato di regole generative.

1. $F \rightarrow SN + SV$
2. $SV \rightarrow V + SN$
3. $SN \rightarrow Det + N$
4. $V \rightarrow$ corre, ama
5. $Det \rightarrow il$
6. $N \rightarrow$ cavallo, ragazzo, prato

Le regole da 1 a 3 sono regole propriamente sintattiche. Le regole da 4 a 6 sono regole che collegano la struttura sintattica delle frasi a un lessico. La 1, come abbiamo già detto, ci dice che una frase consiste di un sintagma nominale (soggetto) e di un sintagma verbale (predicato). La 2 ci dice che un sintagma verbale è costituito da un verbo (V) ed eventualmente da un sintagma nominale non soggetto. La 3 ci dice che il sintagma nominale è costituito da un eventuale determinante e da un nome. Le regole lessicali ci permettono di generare frasi come

    a. il ragazzo ama il cavallo
    b. il cavallo ama il prato
    c. il ragazzo corre
    d. il cavallo ama il ragazzo
    ecc.

Tuttavia, è facile osservare che queste stesse regole permettono di generare anche frasi come

    a.1 *Il prato ama il cavallo
    b.1 *Il prato corre il ragazzo

Se a.1 appare corretta grammaticalmente, ma non accettabile dal punto di vista del significato, b.1 appare anche grammaticalmente scorretta. Una buona sintassi generativa deve introdurre e ordinare regole che blocchino la generazione di frasi non accettabili e/o scorrette e che generino tutte e sole le frasi corrette di una lingua. Secondo alcuni, tale obiettivo sarebbe irrealizzabile per ragioni teoriche generali. Certamente esso si è rivelato molto arduo e complesso. È tuttavia indubbio che nel perseguirlo sono stati messi in luce e connessi tra loro aspetti della sintassi delle varie lingue, sia universali (i principi), sia particolari di questa o quella lingua, che la sintassi non generativa non consente di cogliere e determinare. Per esempio, la sintassi generativa mette in evidenza che in lingue come l'italiano o il latino esiste un **parametro**, detto del *pro-drop* o del soggetto nullo (omissione del pronome soggetto del verbo), per cui possiamo dire «Parlo italiano», «Latine loquor», mentre esso non opera in francese, inglese o tedesco (*«Parle italien»,

*«Speak Italian», *«Spreche italienisch» sono tutte frasi egualmente **asteriscate**, cioè inaccettabili, perché manca il pronome). La presenza o assenza della regola del *pro-drop* si rivela connessa ad altri aspetti sintattici, per esempio alla possibilità di invertire liberamente il soggetto («Il ragazzo corre», «Corre il ragazzo») ovvero alla impossibilità che si ha in inglese («The boy runs», ma *«runs the boy»).

Grazie alle regole generative vediamo che molte frasi aventi una **struttura superficiale** diversa hanno una stessa **struttura profonda**, sono generate da una stessa regola.

Abbiamo finora parlato soltanto di **frasi semplici**, contenenti un solo predicato, ovvero di **frasi uniproposizionali**, costituite da una sola proposizione (in inglese **clause**, donde, in alcune trattazioni italiane, **clausola**). Molte frasi sono costituite da più proposizioni. Parliamo allora di **frase complessa** o **pluriproposizionale**, che diciamo anche **periodo**. Nelle frasi complesse le proposizioni possono essere **coordinate** da congiunzioni copulative («Piove e io esco»), disgiuntive («O piove o tira vento») o avversative («Piove, ma io esco lo stesso»); oppure possono essere **subordinate** a una proposizione **principale** («Esco, mentre sta piovendo», «Sebbene piova, esco» ecc.).

Capitolo dodicesimo

Enunciato, *parole*, atti linguistici, testi

Abbiamo già rilevato (cap. 9, punto 8) che una data frase, dotata di un suo significato (insieme di tutti i suoi possibili sensi), assume, tra tutti i sensi possibili, alcuni sensi particolari quando viene concretamente enunciata. Con l'enunciazione essa viene calata in un particolare contesto situazionale e, in genere, anche in un particolare co-testo verbale: in rapporto a contesto e cotesto tra tutti i suoi possibili sensi, che ne costituiscono il significato, ne emerge ed è selezionato qualcuno. Qualcosa di analogo vale anche per il versante del significante: quando usiamo una frase per realizzare un enunciato, tra le innumerevoli pronunce o grafie possibili dobbiamo sceglierne una e affidare a quella il senso che intendiamo esprimere. Ciò vale per il produttore dell'enunciato e vale anche per il ricettore che cerca di percepire e recepire l'enunciato altrui e attribuirgli un senso tra gli innumeri possibili e, come si è detto, tra le molte accezioni in cui gli innumeri sensi possibili si raggruppano.

Abbiamo già ricordato che all'uso enunciativo, concreto, individuale delle frasi di una lingua diamo, con

Saussure, il nome di **parole**. La **parole** sia produttiva sia ricettiva è il luogo in cui i locutori sperimentano di continuo nuove pronunce, nuovi sensi, nuovi modi di dire e nuovi vocaboli, nuove modalità di organizzare le parole in frasi. Essa è cioè il luogo in cui di continuo affiorano le **innovazioni**. Non tutte hanno eguale fortuna. Il bisogno di coesione tra i locutori, legato al bisogno di intendersi, fa sì che molte innovazioni siano respinte perché non piacciono, appaiono sciatte o inutili oppure sono derise o condannate come sbagli. Altre invece superano queste difficoltà e attraverso il tempo, in diacronia, si affermano tra tutti i parlanti e modificano la lingua. Nelle iscrizioni latine arcaiche o provinciali o nelle scritte sui muri di Pompei o in liste di errori fatte da grammatici vediamo affiorare alcuni fenomeni che gli scrittori del latino aureo rifiutavano: troviamo grafie come *dono* per *donum*, *orum* per *aurum*, *da* per *dat*, *veclus* per *vetulus*, *lupis* per *lupi* (nom. plur.), e in esse scorgiamo i germi di innovazioni poi stabilizzatesi nelle lingue romanze, come la caduta delle consonanti finali e la conseguente crisi della flessione (specie nominale) latina, la chiusura dei dittonghi, l'affermarsi di nuove parole, l'affermarsi della -*s* come segno del plurale ecc.

La **linguistica della parole** è dunque interessante non solo in sé, ma anche al fine di studiare in concreto il **mutamento linguistico**. Ma, certamente, ha un suo interesse intrinseco. Non possiamo sperare di descrivere i fenomeni della **comprensione degli enunciati** senza fare riferimento alla linguistica della *parole*. Così come non udiamo significanti, ma suoni concreti, foni, che realizzano i significanti della lingua, non comprendiamo significati, ma sensi in cui il significato delle parole e frasi si determina.

Ma, ancora una volta, il parallelismo non tragga in inganno, non faccia smarrire la visione del diverso movimento: udiamo i suoni o leggiamo le grafie per risalire al significante, realizziamo gli uni o le altre perché altri possano risalire al significante. Il concreto della *parole* è, sul versante dell'espressione, *strumentale* rispetto al fine, che è il significante. Sul versante del contenuto, ben al contrario, identificare il significato di un significante è esso momento strumentale rispetto al fine di cogliere in quale senso quel significato si determina per un certo locutore in una certa situazione. E anche per chi parla trovare il significato giusto, costruire la frase appropriata è strumentale rispetto alla ricerca di trasmettere il concreto senso che ha in mente.

In questa direzione indicazioni vengono dallo studio degli **speech acts**, cioè degli enunciati in quanto **azioni**, modi verbali di cui ci serviamo per interagire con altri. Un atto di *parole* non è solo un **atto locutorio**, la messa in parole di un senso cui ci si vuole riferire, ma è spesso un **atto illocutorio**, cioè produce un enunciato che ha una particolare **forza pragmatica**, capace di impegnare a certe azioni chi lo pronuncia (quando diciamo *Ti prometto che...*, o semplicemente *Farò la tal cosa*) o di invitare, obbligare altri a certe azioni, o di minacciare ecc. L'atto linguistico si configura così come **atto perlocutorio**, che attraverso le parole e frasi di cui si serve produce effetti sugli interlocutori e ne modifica convinzioni e comportamenti.

La **contestualizzazione** dell'enunciato aiuta il locutore, sia il produttore sia il ricettore, a ridurre i margini di fluidità semantica di ogni enunciato. Ma opera potentemente a questo fine anche la **cotestualizzazione**. Se è vero che non parliamo quasi mai per lemmi isolati, ma per frasi che enunciamo (cap. 9), è anche vero che spesso non parliamo per enunciati staccati, ma per enunciati collegati insieme in un **discorso** o **testo**. Possiamo definire il testo come una entità **transfrastica** che connette gli enunciati realizzanti singole frasi in un insieme che si propone come unitario e che, per realizzare ciò, si avvale nelle sue frasi di riferimenti cotestuali più o meno espliciti al già detto o a ciò che poi si dirà. La **linguistica testuale** studia le condizioni di **coerenza** degli enunciati che costituiscono un testo e tale coerenza riopera su ciascuno degli enunciati limitandone e indirizzandone la realizzazione fonica e il senso.

Tutto casca addosso a me è una frase italiana che, per i morfi che la compongono e per il loro connettersi in una frase predicativa, può avere cento e cento realizzazioni. In parte è una frase fatta, un **idiom**. Potrebbe essere usata quasi ironicamente per esprimere la tranquilla constatazione del giusto oraziano (e lucreziano), saldo nella sua diritta coscienza quando anche *fractus illabatur orbis*, il mondo collassi e si frantumi; o l'allarmata constatazione di uno studioso che si veda minacciato dalla rovinosa caduta di troppi libri accumulati sui palchetti della sua biblioteca; o la desolata constatazione di una affaticata madre di famiglia che tira la carretta per tutti. Può essere tutto questo, ed è però anche la enfatica e perciò comica manifestazione di malumore del povero don Abbondio che non riesce a capire le parole del cardinale Federigo, i suoi rimproveri per azioni che altri, secondo il curato, hanno compiuto e che lo hanno ingiustamente travolto. Tra virgolette, subito dopo le alte parole del Cardinale, a metà del capitolo XXVI dei *Promessi sposi*, il contesto verbale e la situazione che ci è presentata così nitidamente, così drammaticamente e insieme ironicamente da Manzoni, danno a quelle parole un andamento comico nel loro essere desolate e danno il senso avvilito e avvilente adeguato al personaggio che le pronuncia. Questo senso, a sua volta, così determinato, conferisce coerenza a tutta la descrizione manzoniana della situazione, alla rappresentazione del personaggio e alla intera narrazione.

Capitolo tredicesimo

La lingua nello spazio e nel tempo

Più volte nei capitoli precedenti abbiamo messo in rapporto le parti e l'insieme della lingua con le abilità dei locutori, con gli usi, con le realtà geografiche, sociali, storiche che la circondano. Ciascuna lingua vive nel suo particolare spazio sociale, culturale, storico. Le serie di significati dei suoi morfi e i morfi stessi risentono, come abbiamo visto, delle esigenze e delle vicende dei gruppi di coloro che la lingua hanno usato nel tempo e usano in una certa fase.

Possiamo rappresentare una lingua in una prospettiva strettamente funzionale, in una perfetta sincronia o, più esattamente, idiosincronia. Gli elementi e aspetti di una lingua sono considerati in quanto tutti coesistenti simultaneamente in un sistema chiuso, che funziona per consentire di **generare** (capire, produrre, analizzare e descrivere) le infinite frasi di una lingua. Differenze tra i parlanti di una lingua, se ci sono, vengono azzerate e l'analisi idiosincronica si riferisce a un **parlante ideale**. Il punto di vista idiosincronico ci è indispensabile per penetrare nel congegno grammaticale e sintattico di una lingua, per confrontarla con altre lingue sotto questo profilo e per determinare eventuali principi generali presenti alla base delle grammatiche di ogni lingua. Come avviene in molti campi del sapere scientifico, esso deve forzatamente semplificare e idealizzare i dati di cui disponiamo.

Da questi dati risulta che la rappresentazione idiosincronica e generativa ci restituisce, riordinata e interpretata, solo una parte di ciò che sappiamo di una lingua. Essa mette tra parentesi la **variabilità** intrinseca di ogni lingua. Da ciascun **parlante reale** ogni lingua è utilizzata in modi che variano attraverso lo spazio geografico e demografico in cui una lingua è in uso.

Distinguiamo diversi tipi di **variazione**. La variazione **diatopica** consiste nelle variazioni fonologiche, lessicali, sintattico-grammaticali correlate alla diversa area geografica di appartenenza dei parlanti. Alcuni esempi nella fonologia attuale dell'italiano: nel parlare italiano per i toscani e i romani vige un sistema fonologico che distingue sette vocali; per i parlanti sia settentrionali sia meridionali la distinzione tra *e* aperte e chiuse e tra *o* aperte e chiuse è invece di difficile realizzazione e percezione ed essi si orientano verso un sistema a cinque vocali; nell'italiano settentrionale la fricativa sibilante tra vocali è sempre sonora, [z], e non vale in questa posizione l'opposizione toscana tra un fonema /s/ e un fonema /z/ (tra *presento* di *presentire* e *presento* di *presentare*). Il lessico italiano, soprattutto il lessico della quotidianità (alimenti, giochi, atti e oggetti domestici ecc.) è ricco di **geosinonimi**: a parole come *cavolo* o *broccolo*, oppure *melone* e *cocomero* corrispondono vegetali diversi da regione a regione e uno stesso vegetale è oggetto di denominazioni diverse.

Le variazioni diatopiche possono accumularsi al punto da mettere in forse l'unità del repertorio linguistico: così sta avvenendo nel cumularsi di differenze tra *British English* ed *American English*.

Altra importante forma di variabilità è quella **diastratica**: i diversi strati sociali di persone usano una stessa lingua in modi diversi: pronunzie, apparati morfologici, sintassi e vocabolario risentono fortemente della diversa collocazione sociale, del diverso livello di istruzione dei parlanti.

Le variazioni **diafasiche** sono quelle correlate ai diversi tipi di discorso e di testo producibili con una lingua: una conversazione tra amici, e una conferenza, un trattato scientifico, una lettera commerciale e una lettera privata si riferiscono a uno stesso argomento utilizzando parti spesso assai diverse del vocabolario e diverse strutture sintattiche.

Le variazioni **diamesiche** sono invece quelle dipendenti dalla diversità del mezzo di cui ci si serve: qui si collocano le grandi differenze rilevabili tra **uso parlato** e **uso scritto** di una lingua, tra uso *vis-à-vis* o *face to face* e uso a distanza (radiofonico, televisivo ecc.).

Una stessa persona usa la stessa lingua secondo modalità diverse, che vanno dall'uso più privato, familiare, locale, **informale** (tale cioè che la forma linguistica deve fare appello in misura massima al contesto situazionale), all'uso più impersonale, pubblico, sregionalizzato, **formale** (tale cioè che il massimo di informazioni sia veicolato dalla forma linguistica e solo da questa).

Diversi rami della linguistica studiano tali variazioni: la **geografia linguistica** le studia sotto il profilo diatopico in quanto esse dipendono da **innovazioni** che si propagano nello spazio geografico e spesso creano isoglosse tra lingue diverse; la **sociolinguistica** le mette in relazione alla stratificazione sociale degli utenti, la **storia linguistica** le osserva come germi di un incipiente radicale **cambiamento linguistico**.

Se non ci riferiamo a un parlante ideale, ma alla massa dei concreti locutori, vediamo che le lingue sono usate in modo continuamente variabile. Dipende da fattori **esterni** alla lingua (dominanza e prestigio di un centro unico, di una determinata classe sociale, diffusione maggiore o minore di un uso scritto standardizzato ecc.) se la variabilità resta tale o si accumula fino a un punto di rottura tale da determinare il passaggio da una lingua all'altra, sia nello spazio (**diversificazione geografica delle lingue**) sia nel tempo (**diversificazione storica delle lingue**). Il punto di vista **diacronico** è quello che mette in rapporto due lingue diverse nate l'una dalla diversificazione dell'altra attraverso il tempo. Esso o, come anche si dice, la **diacronia** ha un posto centrale nello studio storico dell'evolversi delle lingue.

Come mostrano le indagini diacroniche, il **cambiamento linguistico** può portare e porta a esiti imprevedibili. In famiglie linguistiche di tipo flessivo, sintetico, il cambiamento può portare alla nascita di lingue accentuatamente analitiche: così è avvenuto per l'inglese tra le lingue germaniche, al francese parlato tra le lingue neolatine: l'autonomia desinenziale e sintattica della parola protogermanica o latina e la correlativa libertà dell'ordine delle parole nella frase hanno ceduto il posto a un'organizzazione in cui il posto di un morfo nella frase è fisso e spesso determinante ai fini della definizione del suo valore. Inoltre, da una stessa lingua, come il latino, vediamo nascere lingue tra loro assai diverse, come le moderne neolatine. E, d'altra parte, la stessa origine, la stessa appartenenza genetica di una lingua può oscurarsi e lingue di origine diverse possono accostarsi tra loro. Così il persiano, lingua indoeuropea, si è profondamente arabizzato in fase moderna e invece il malti, lingua semitica, si è intriso profondamente di italianismi e si è accostato alle lingue neolatine.

Un terreno fecondo per lo studio di quanto può fare il mutamento linguistico è quello dei **pidgin**, nati dall'impasto tra lingue indigene e lingue importate dai colonizzatori soprattutto europei e usati come lingue della comunicazione commerciale e interetnica, e delle lingue **creole**, che possiamo definire in prima approssimazione come antichi *pidgin* consolidatisi nell'uso fino a diventare lingue materne, lingue native di un'intera comunità, usate in ogni occasione.

Capitolo quattordicesimo

Dalle lingue al linguaggio

Come è chiaro, di là delle loro differenze, le seimila lingue del mondo hanno caratteristiche comuni che ci permettono appunto di identificarle come lingue. Di tali caratteristiche rendono conto due linee diverse di ricerca generale.

Abbiamo più volte accennato al punto di vista della **linguistica generativa**, elaborato e sviluppato da Noam Chomsky e dagli studiosi che a lui si richiamano. L'ipotesi teorica è che tutte le lingue o, almeno, le grammatiche di tutte le lingue pur nella loro varietà rispondano a un numero ristretto di principi generali che nelle singole lingue si realizzano potendo variare entro determinati parametri. I (pochi) principi generali sarebbero innati e costituirebbero la natura profonda e universale del linguaggio umano.

Un secondo punto di vista è quello della **semiotica**, un campo di studi battezzato così da John Locke nel Seicento che, dopo varie vicende, ha preso a svilupparsi per l'impulso del filosofo americano Charles S. Peirce e del linguista Ferdinand de Saussure, che propose la denominazione **semiologia**. Nel quadro generale di una teoria dei **segni** e della **semiosi** (uso di segnali), i segni linguistici (parole, frasi) presentano caratteristiche semiotiche generalissime, comuni a ogni semiotica: sono segni, si producono e intendono all'interno di un **codice** (una lingua, nel caso delle parole), sono **bifacciali** (hanno un significante e un significato), sono, nella terminologia di Peirce, **legi-segni**, segni il cui uso non dipende da somiglianze naturali con ciò cui possano riferirsi, ma da una legalità, da una concordanza tra i componenti di una comunità umana. Altre caratteristiche, invece, si trovano solo in alcune altre famiglie di codici. Tale è, ad esempio, la **doppia articolazione**, cioè la decomponibilità del significante dei morfi in unità minime, i fonemi, sicché i segni linguistici sono articolati due volte, hanno una prima articolazione in morfi e una seconda in fonemi. Infine vi sono caratteristiche specifiche dei segni linguistici, come la presenza di pronomi personali o la dilatabilità dei significati, su cui già W. von Humboldt aveva richiamato l'attenzione, o la funzione metalinguistica riflessiva. Si tratta di caratteri che ritroviamo anche nelle lingue dei segni (vedi p. 18).

Anche il punto di vista semiotico sospinge l'analisi delle lingue verso la ricerca di ciò che in esse è universale, non può mancare ed è connaturato al **linguaggio**, cioè alla facoltà innata per gli esseri umani di sapere usare una lingua. Secondo Saussure un compito essenziale della linguistica deve essere appunto la ricerca **pancronica**, cioè la ricerca delle forze universali agenti in ogni punto della realtà linguistica.

Accanto alla descrizione sincronica delle singole lingue, accanto agli studi di taglio diacronico e storico, comparativo e tipologico, la linguistica ha cominciato dunque negli ultimi decenni a inoltrarsi, forte delle sue acquisizioni tecniche, su un terreno che per secoli era stato filosofico: la comprensione di che cosa in generale è il linguaggio umano, di quale parte ha nell'intelligenza e nella natura degli esseri umani.

L'impetuoso sviluppo di studi sulla comunicazione di altre specie animali, la **zoosemiotica**, sta offrendo nuovi dati per valutare meglio la specificità della semiosi umana: rispetto ad altre specie, quella umana ci appare come una specie **plurisemiotica**, capace cioè di controllare dal gesto alle simbolizzazioni logico-matematiche una quantità eterogenea di semiotiche, tra le quali campeggia il linguaggio, l'attività verbale. E l'altrettanto impetuoso sviluppo delle **neuroscienze** e dei metodi di analisi oggettiva del funzionamento del cervello permette di capire sempre meglio la eccezionale complessità delle operazioni che gli esseri umani compiono quando producono o capiscono la frase anche più semplice.

Come ha scritto una volta Noam Chomsky, le più complicate rappresentazioni della struttura di una frase e di una grammatica di cui siamo per ora capaci sono soltanto un'approssimazione a un modello realistico della effettiva complessità del linguaggio. Esplorare questa complessità ha gettato e getta luce sull'intelligenza e la natura degli esseri umani, su ciò che nella natura li accomuna e li differenzia nella storia. E proprio perciò val la pena che la linguistica sappia chiamare a occuparsi di linguaggio tutti coloro che sono interessati a esplorare scientificamente la natura e la storia degli esseri umani.

Altre letture

Tutti i termini e concetti tecnici qui presentati sono trattati più ampiamente e con riferimenti bibliografici essenziali, a cura di singoli diversi specialisti, in G.L. Beccaria (direttore), *Dizionario di linguistica e di filologia, metrica, retorica*, Einaudi, Torino 1994. Un panorama storico di tutti gli indirizzi teorici e di ricerca attuali, con puntuali indicazioni bibliografiche, è G. Lepschy, *La linguistica del Novecento*, Il Mulino, Bologna 1996². Ma non si intende (né, a mio avviso, si pratica bene) la linguistica d'oggi senza conoscerne la formazione ottocentesca: un terzo essenziale compagno di lavoro è dunque A. Morpurgo Davies, *La linguistica dell'Ottocento*, Il Mulino, Bologna 1996. Da questi tre volumi è possibile ricavare e seguire indicazioni di ulteriori letture in molte direzioni.

Anche un principiante trae vantaggio dall'integrare fin dai primi passi il suo studio leggendo almeno qualcuno tra i grandi testi classici che hanno inciso profondamente sugli orientamenti della linguistica (e non solo!). Molti ormai sono tradotti in italiano, con ampie presentazioni e note di commento. In ordine cronologico (la data dell'originale è tra parentesi quadre) ricordo: W. von Humboldt, *La diversità delle lingue* [1836], a cura di D. Di Cesare, Laterza, Roma-Bari 1992; M. Bréal, *Saggio di semantica* [1897], a cura di A. Martone, Liguori, Napoli 1990, oppure a cura di R. Mecchia e D. Russo, Metis, Chieti 1992; F. de Saussure, *Corso di linguistica generale* [1916], a cura di T. De Mauro, Laterza, Roma-Bari 1997[16]; E. Sapir, *Il linguaggio. Introduzione alla linguistica* [1921], Einaudi, Torino 1969; L. Bloomfield, *Il linguaggio* [1933], a cura di G.R. Cardona, Il Saggiatore, Milano 1974; L. Hjelmslev, *I fondamenti della teoria del linguaggio* [1943], a cura di G. Lepschy, Einaudi, Torino 1968; N. Chomsky, *Le strutture della sintassi* [1957], a cura di F. Antinucci, Laterza, Bari 1970. A questa prima opera Chomsky ha fatto seguire molti altri lavori che hanno profondamente rielaborato e arricchito le sue tesi iniziali: una lettura utile è, almeno, *Linguaggio e problemi della conoscenza*, Il Mulino, Bologna 1991. Non è per ora tradotta la raccolta, con proposte di notevoli revisioni e ripensamenti, *The Minimalist Program*, MIT Press, Cambridge, Mass., 1995 (non agevole anche per specialisti).

Le opere che abbiamo elencato aiutano a intendere che vale la pena studiare la linguistica non come fine a se stessa, ma per capire meglio il linguaggio, le lingue, l'esprimersi e comprendere linguistico. In questo senso ai classici della linguistica bisogna aggiungere almeno due grandi testi della filosofia e della psicologia del Novecento: L.S. Vygotskij, *Pensiero e linguaggio. Ricerche psicologiche* [1934], a cura di L. Mecacci, Laterza, Roma-Bari 1990; L. Wittgenstein, *Ricerche filosofiche* [1953], a cura di M. Trinchero, Einaudi, Torino 1967.

Vanno nella direzione di progressivi approfondimenti della linguistica generale, con prevalenza di esemplificazioni italiane, F. Albano Leoni-P. Maturi, *Manuale di fonetica*, La Nuova Italia Scientifica, Roma 1995, G. Berruto, *Corso elementare di linguistica generale*, UTET, Torino 1997, R. Simone, *Fondamenti di linguistica*, Laterza, Roma-Bari 1995[2], utile anche per il collegamento con prospettive semiotiche, e la buona trattazione quadripartita di ispirazione generativista *Le strutture del linguaggio* di M. Nespor, *Fonologia*, S. Scalise, *Morfologia*, G. Graffi, *Sintassi*, G. Chierchia, *Semantica* (Il Mulino, Bologna 1993-1997). Per una semantica vista in una duttile e ricca prospettiva semiotica è da vedere P. Violi, *Significato ed esperienza*, Bompiani, Milano 1997. Per la linguistica testuale un ottimo punto di partenza è B. Garavelli Mortara, *Manuale di retorica*, Bompiani, Milano 1997².

Un'idea d'insieme delle lingue del mondo, e cioè un ricco e vario panorama di notizie su lingue e fenomeni linguistici (con molta bibliografia aggiornata) è stato preparato da D. Crystal e tradotto e adattato in italiano da P.M. Bertinetto, *Enciclopedia Cambridge delle Scienze del linguaggio*, Zanichelli, Bologna 1993. Lo si può utilmente integrare per le lingue europee col libro di H. Walter, *L'aventure des langues en Occident. Leur origine, leur histoire, leur géographie*, Laffont, Paris 1994 (trad. it. in stampa presso Laterza), con il più impegnativo A. Giacalone Ramat, P. Ramat (a cura di), *Le lingue indoeuropee*, Il Mulino, Bologna 1994, e per l'italiano con C. Marazzini, *La lingua italiana. Profilo storico*, Il Mulino, Bologna 1994 e con A. Sobrero (a cura di), *Introduzione all'italiano contemporaneo*, 2 voll., Laterza, Roma-Bari 1993.

Come quello di Armida, il giardino della linguistica ha cento porte, ma la maggiore resta quella di un rapporto diretto con lo studio storico o descrittivo di una singola lingua o d'un singolo gruppo di lingue. Molte indicazioni possono ricavarsi dalle opere citate nei due capoversi precedenti. Indicazioni più minuziose e aggiornate lingua per lingua si possono trovare nelle voci (affidate ai maggiori e più specifici specialisti) della *International Encyclopedia of Linguistics*, diretta da W. Bright, 4 voll., Oxford University Press, New York-Oxford 1992.

Tavole

Tav. 1. Alcune parole in alcune lingue del mondo: affinità e divergenze

	uno	due	tre	quattro	cinque	sei	sette	padre	madre
ITALIANO	uno	due	tre	quattro	cinque	sei	sette	padre	madre
FRANCESE	un	deux	trois	quatre	cinq	six	sept	père	mère
LATINO	unus	duo	tres	quattuor	quinque	sex	septem	pater	mater
INGLESE	one	two	three	four	five	six	seven	father	mother
TEDESCO	ein	zwei	drei	vier	fünf	sechs	sieben	vater	mutter
GRECO	hén	dúo	treîs	téssares	pénte	héx	heptá	patér	mếter
SANSCRITO	éka	dvá	trí	cátur	páñca	sás	saptá	pitár-	mátar-
ARABO	wâḥid	iṯnān	ṯawāṭat	arba‘at	ḫamšat	sittat	sab‘a-t	ab	umm
UNGHERESE	egy	kettö	három	négy	öt	hat	hét	apa	anya
TURCO	bir	iki	üç	dört	beş	altı	yedi	baba	anne
GIAPPONESE	ichi	ni	san	shi	go	roku	shichi	otoosan	haha
CINESE	i	erh/liang	san	ssu	wu	liu	ch'i	fu-ch'in	mu-ch'in

Tav. 2. Le grandi famiglie linguistiche del mondo intorno al 1492 (c.d. «scoperta» dell'America)

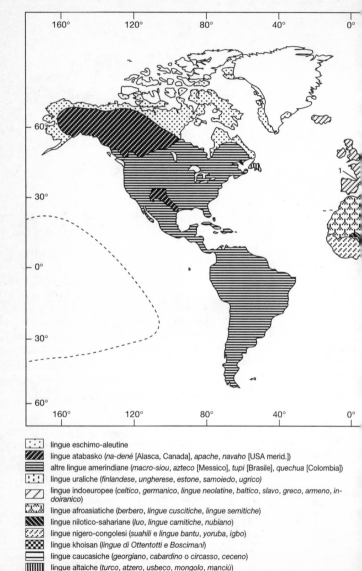

⠿ lingue eschimo-aleutine

▨ lingue atabasko (*na-dené* [Alaska, Canada], *apache*, *navaho* [USA merid.])

▤ altre lingue amerindiane (*macro-siou*, *azteco* [Messico], *tupi* [Brasile], *quechua* [Colombia])

▦ lingue uraliche (*finlandese*, *ungherese*, *estone*, *samoiedo*, *ugrico*)

▨ lingue indoeuropee (*celtico*, *germanico*, *lingue neolatine*, *baltico*, *slavo*, *greco*, *armeno*, *indoiranico*)

▨ lingue afroasiatiche (*berbero*, *lingue cuscitiche*, *lingue semitiche*)

▨ lingue nilotico-sahariane (*luo*, *lingue camitiche*, *nubiano*)

▨ lingue nigero-congolesi (*suahili* e *lingue bantu*, *yoruba*, *igbo*)

▨ lingue khoisan (*lingue di Ottentotti e Boscimani*)

▤ lingue caucasiche (*georgiano*, *cabardino* o *circasso*, *ceceno*)

▥ lingue altaiche (*turco*, *atzero*, *usbeco*, *mongolo*, *manciù*)

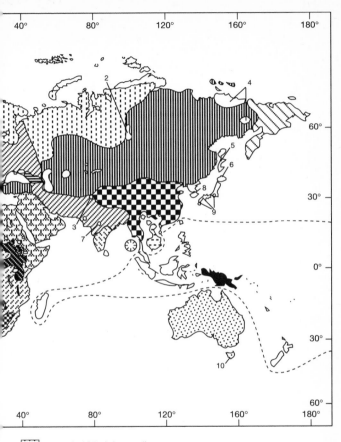

	lingue dravidiche (*telugu*, *tamil*)
	lingue sino-tibetane (*cinese*, *tibetano*, *birmano*)
	lingue kam-tai (*thai* o *siamese*)
	lingue austro-asiatiche (*khmer* o *cambogiano*, *vietnamita*)
	lingue papua o indo-pacifiche (*malgascio*, *tagalog* e *pilipino*, *samoano*)
	lingue australiane
	lingue andamanesi
	lingue austronesiane o maleopolinesiane
	lingue paleosiberiane

LINGUE ISOLATE
1 basco, 2 khet, 3 burusciaschi, 4 yukagiro, 5 giliaco, 6 ainu, 7 nahali, 8 coreano, 9 giapponese, 10 tasmaniano

Tav. 3. Le lingue indoeuropee nel I millennio a.C. (le frecce indicano direttrici di espansione)

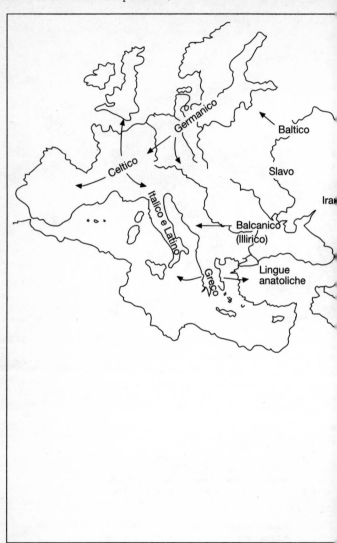

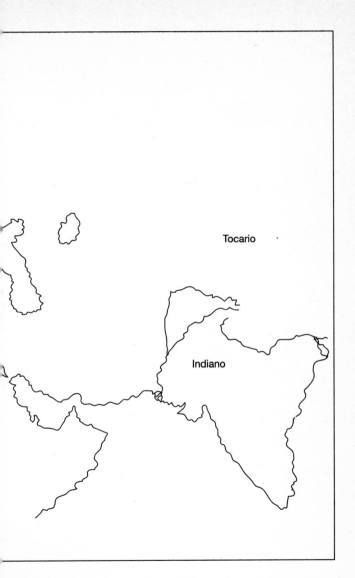

Tocario

Indiano

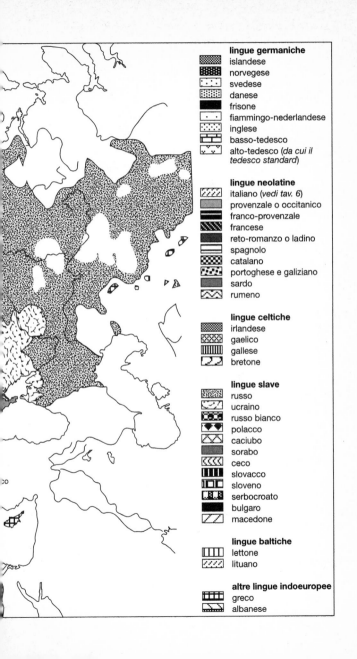

lingue germaniche
islandese
norvegese
svedese
danese
frisone
fiammingo-nederlandese
inglese
basso-tedesco
alto-tedesco (*da cui il tedesco standard*)

lingue neolatine
italiano (*vedi tav. 6*)
provenzale o occitanico
franco-provenzale
francese
reto-romanzo o ladino
spagnolo
catalano
portoghese e galiziano
sardo
rumeno

lingue celtiche
irlandese
gaelico
gallese
bretone

lingue slave
russo
ucraino
russo bianco
polacco
caciubo
sorabo
ceco
slovacco
sloveno
serbocroato
bulgaro
macedone

lingue baltiche
lettone
lituano

altre lingue indoeuropee
greco
albanese

Tav. 5. L'Italia linguistica antica intorno al 390 a.C. (Roma espugnata dai Galli)

Tav. 6. Dialetti italoromanzi e lingue dell'Italia d'oggi

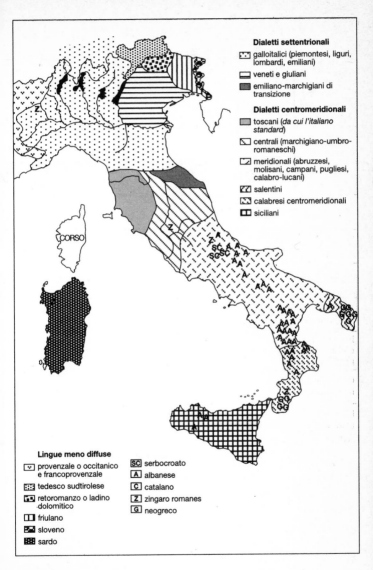

Tav. 7. Classificazione dei suoni della voce (foni) e simboli dell'Alfabeto fonetico internazionale (con gli aggiornamenti del 1989)

CONSONANTI

	Bilabiali	Labiodentali	Dentali	Alveolari	Postalveolari
Occlusive esplosive	p b			t d	
Nasali	m	ɱ		n	
Vibranti	ʙ			r	
Monovibranti				ɾ	
Fricative	ɸ β	f v	θ ð	s z *	ʃ ʒ
Laterali fricative				ɬ ɮ	
Approssimanti	w	ʋ		ɹ	
Laterali approssimanti				l	
Eiettive con occlusione glottidale	p'			t'	
Occlusive implosive	ƥ ɓ			ƭ ɗ	

Nelle coppie di simboli, quello a destra rappresenta la sonora. Le zone tratteggiate indicano articolazioni ritenute impossibili

VOCALI

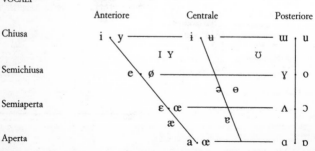

Nelle coppie di simboli, quello a destra rappresenta una vocale procheila

Retroflesse		Palatali		Velari		Uvulari		Faringali		Glottidali	
ʈ	ɖ	c	ɟ	k	g	q	ɢ			ʔ	
	ɳ		ɲ		ŋ		ɴ				
							ʀ				
	ɽ										
ʂ	ʐ	ç	ʝ	x	ɣ	χ	ʁ	ħ	ʕ	h	ɦ
	ɻ		j		ɰ						
	ɭ		ʎ		ʟ						
ʈ'		c'		k'		q'					
		ƈ	ʄ	ƙ	ɠ	ʠ	ɢ'				

ALTRI SIMBOLI

- ʘ Clic bilabiale
- ǀ Clic dentale
- ǃ Clic postalveolare
- ǂ Clic palatoalveolare
- ǁ Clic alveolare laterale
- ʖ Clic laterale monovibrante

* ɕ ʑ Alveopalatali fricative

Affricate e doppie articolazioni possono essere rappresentate da due simboli uniti da un legamento curvo k͡p t͡s

SEGNI DIACRITICI

₀ Assordite	n̥ d̥	ˌ Più procheila	ɔ̹	ʷ Labializzata	tʷ dʷ	˜ Nasalizzata	ẽ
ˬ Sonorizzate	s̬ t̬	˔ Meno procheila	ɔ̜	ʲ Palatalizzata	tʲ dʲ		
ʰ Aspirate	tʰ dʰ	˖ Avanzata	u̟	ˠ Velarizzata	tˠ dˠ		
		‗ Arretrata	i̱	ˤ Faringalizzata	tˤ dˤ		
		¨ Centralizzata	ë	~ Velarizzata o faringalizzata			ɫ
		˟ Ritratta	ë̽				
̪ Dentale	t̪ d̪	ˌ Chiusa	ẹ				
̺ Apicale	t̺ d̺	ˌ Aperta	ẹ̣				
		ˌ Sillabico	ɪ̩	ˌ Non sillabico	ẹ̯		

SEGNI SOPRASEGMENTALI

ˈ Accento principale

ˌ Accento secondario   ˌapriˈskatole

ː Lunga eː

˙ Semilunga e˙

˘ Brevissima ĕ

. Confine sillabico ri.ar.mo

| Gruppo prosodico minore

‖ Gruppo prosodico maggiore

‿ Sandhi

↗ Tonalità ascendente

↘ Tonalità discendente

LIVELLI TONALI

˝ o ˥ Extra alto

´ ˦ Alto

‾ ˧ Medio

` ˨ Basso

˵ ˩ Extra basso

N.B. Simboli IPA tra / / (barre oblique) sono **trascrizioni fonematiche** (v. pp. 32-38), tra parentesi quadre sono **trascrizioni fonetiche**.

[p] come in italiano *padre*; [b] come in italiano *bere*; [t] dentale come in italiano *tanto*, alveolare come in inglese *ten*; [d] dentale come in italiano *dare*, alveolare come in inglese *done*; [ʈ] retroflessa come in siciliano *tre*; [ɖ] retroflessa come in siciliano *chiddu* «quello»; [c] palatale come in italiano *chilo* ['ci:lo] /kilo/; [ɟ] palatale come in italiano *ghiro* ['ɟi:ro] / giro/; [k] velare come in italiano *credo*, *cane*; [g] velare come in italiano *grande*, *gatto*; [q] uvulare come in napoletano *cosa*; [ɢ] uvulare come in napoletano *gatta*; [ʔ] glottidale come in italiano *una mica* ['u:na ʔ'mi:ka] contrapposta a *una amica* ['u:na ʔa'mi:ka]; [m] bilabiale come in italiano *madre*, *impossibile*; [ɱ] labiodentale come in italiano *infatti*, *inverno*; [n] dentale come in italiano *no*, *dente*, alveolare come in inglese *no*; [ɳ] retroflessa come in sanscrito *n*; [ɲ] palatale come in italiano *gnomo*; [ŋ] velare come nell'italiano *anca* ['aŋka] /anka/ o nell'inglese *sing* /siŋ/; [ɴ] uvulare come nella pronuncia romanesca faringalizzata *'an vedi* «guarda guarda»; [r] dentale come in italiano *rana*, *arte*; [ʀ] uvulare (*r grasseyée* del francese); [ɾ] erre del ceco *ř*; [ɽ] retroflessa come nel siciliano *tre*; [β] fricativa bilabiale come nello spagnolo *saber*; [f] labiodentale come in italiano *fare*; [v] labiodentale come in italiano *vedere*; [θ] interdentale sorda come nell'inglese *thing*; [ð] interdentale sonora come nell'inglese *this*; [s] fricativa sibilante dentale sorda come nell'italiano *sono*; [z] fricativa sibilante dentale sonora come nell'italiano *sdegno*; [ʃ] fricativa palatoalveolare sorda come nell'italiano *scemo*, *sciopero* e/o in *pesce*, *lascia* (si avverta che tra due vocali il suono in italiano standard per questa come per le altre articolazioni palatali [ɲ] e [ʎ] è sempre doppio: *lascia* ['laʃʃa]); [ʒ] fricativa palatoalveolare sonora come nel francese *jour* o nel toscano *ragione*; [ç] come nel tedesco *ich*; [x] come nel tedesco *ach* o nel toscano *la casa*; [h] come nel tedesco *haben*; [w], semivocale o semiconsonante, come in italiano *uomo*; [j], semivocale o semiconsonante, come in italiano *ieri*; [ɬ] laterale dentale come in italiano *lascia*; [ʎ] laterale palatale come in italiano *gli* o in *meglio*; [i] come in italiano *pino*; [y] come nel lombardo *os bus* «osso buco» o nel francese *tu*; [u] come in italiano *su*; [e] come nell'italiano standard *io pesco* (*é*); [ø] come nel francese *peu* o nel tedesco *schön*; [o] come nell'italiano standard *la botte* (*ó*); [ɛ] come nell'italiano standard *pesca* «frutto dell'albero di pesco» (*è*); [ə] vocale centrale indistinta, detta *šva* come nel francese *petit*, nell'inglese *about*, nel tedesco *bitte*, nel napoletano *diece*; [ɐ] come nell'inglese *but*; [ʌ] come nell'italiano *cosa* (*ò*); [a] come nell'italiano *casa*; [ts] affricata dentale sorda come nell'italiano standard *zoppo*; [dz] affricata dentale sonora come nell'italiano standard *zero*; [tʃ] affricata palatale sorda come nell'italiano *ciao*; [ʤ] affricata palatale sonora come nell'italiano *gelo*, *giugno*; ˜ diacritico per indicare la nasalità di vocali come nel francese *dent* ['dã]; : diacritico per indicare la lunghezza di un fono, *pino* ['pi:no], *tappo* ['tap:o]; ' diacritico che, anteposto alla sillaba, indica che porta l'accento principale.

Tav. 8.   L'apparato di fonazione.

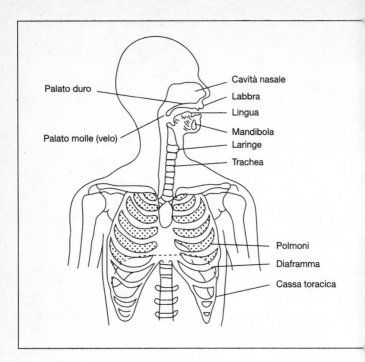

Indici

Indice dei nomi

Indice dei termini

Indice del volume

UL

UL

UL

ultimi volumi pubblicati

UL

ultimi volumi pubblicati